La marche
de l'incertitude

La marche de l'incertitude

ROMAN

YAMEN MANAI

À PROPOS DE L'AUTEUR

Yamen Manai est un auteur tunisien né à Tunis en 1980. De langue maternelle arabe, il grandit dans un univers de livres et très tôt se met à écrire de petites histoires. Mais fasciné par la possibilité de mieux comprendre le monde, il se tourne finalement vers des études scientifiques et part s'installer à Paris. En France, impressionné par la place accordée au livre et à la littérature, il se sent à nouveau attiré par ses premières amours… Mais cette fois, en français.

Aujourd'hui il mène en parallèle une double carrière d'ingénieur et d'auteur. Ses romans ont été distingués par plusieurs prix littéraires, en France et en Tunisie.

Dans la collection Mondes en VF

Papa et autres nouvelles, VASSILIS ALEXAKIS, 2012 (B1)

La cravate de Simenon, NICOLAS ANCION, 2012 (A2)

Enfin chez moi !, KIDI BEBEY, 2013 (A2)

Le cœur à rire et à pleurer, MARYSE CONDÉ, 2013 (B2)

Quitter Dakar, SOPHIE-ANNE DELHOMME, 2012 (B2)

Un cerf en automne, ÉRIC LYSØE, 2013 (B1)

Pas d'Oscar pour l'assassin, VINCENT REMÈDE, 2012 (A2)

Jus de chaussettes, VINCENT REMÈDE, 2013 (A2)

Cela faisait longtemps,
Que le système solaire,
Avait branché sa prise…
Depuis belle lurette[1],
La terre tourne à sa guise[2]…
Mais le cavalier des mots,
Est libre de cette emprise !
Il arrête la terre, le système solaire,
    et toutes ces bêtises
Et illumine avec les mots, le vrai
    cœur du monde...

Quelque part dans le ciel
entre Paris et Santiago de Cuba.

---

1. Depuis belle lurette (expr.) : *Depuis très longtemps.*
2. À sa guise (expr.) : *Comme elle veut, comme elle en a envie.*

Chapitre Un

Quand quelques années plus tard, Christian Boblé monta les marches sous les applaudissements de toute la communauté scientifique mondiale afin de recevoir le prix Nobel pour ses travaux sur l'antimatière, le monde lui sembla une évidence. Il ne prononça que quelques mots :

« Mes chers amis,

C'est le hasard, et non pas la gravité[3], qui a fait tomber une pomme sur la tête de Newton.

C'est le hasard, et non pas la radioactivité, qui a envoyé des radiations[4] sur Pierre et Marie Curie.

Ah, le hasard ! Cette manifestation d'un monde qui se dévoile ! Il dérange, parce qu'on ne sait pas l'expliquer, il agace, parce que quelquefois, il bouleverse nos certitudes.

---

3. Gravité (n.f.) : *Attraction terrestre.*
4. Radiation (n.f.) : *Rayonnement radioactif.*

Mais ce n'est pas seulement grâce à ses explications posthumes[5] et à ses certitudes qu'un homme avance, c'est aussi grâce à son imagination et à sa capacité à croire en la subtilité de ce monde qui se dévoile. Ce monde est loin d'être cet enchaînement de mécanismes.

Celui qui aura compris cela, résoudra toutes les équations[6]. »

---

5. Posthume (adj.) : *Qui arrive après la mort. Ici, qui arrive après, plus tard.*
6. Résoudre une équation (expr.) : *Ici, trouver la réponse à un problème mathématique.*

Chapitre Deux

Le hasard, maître des dés, avait décidé de recroiser leurs chemins.

Elle fanait[7] comme une fleur qui perdait chaque jour un nouveau pétale. Ni sa mère ni son beau-père n'avaient remarqué qu'elle ne mangeait plus, puisqu'ils se trouvaient rarement réunis à table tous les trois. Quand sa mère, grande victime de la mode, s'aperçut qu'il manquait quelques kilos au corps de sa fille, elle ne s'inquiéta pas. Elle crut qu'elle était, comme elle d'ailleurs, atteinte par la fièvre du sexy, qu'elle s'était mise au régime pour pouvoir exhiber[8] fièrement les ficelles de son string[9] par-dessus son jean comme toutes les lolitas[10] qui passent

---

7. Faner (v.) : *Perdre sa fraîcheur.*
8. Exhiber (v.) : *Montrer.*
9. String (n.m.) : *Culotte très petite qui laisse voir les fesses.*
10. Lolita (n.f) : *Jeune fille sexy (référence à un roman de Nabokov).*

en boucle[11] à la télé. Mais quand la petite commença sérieusement à ressembler à un cadavre, elle l'emmena chez le médecin en priant Dieu, dont elle ne se rappelait l'existence que très occasionnellement, pour qu'elle ne soit pas anorexique[12]. Le médecin qui l'examina des orteils jusqu'à la pointe des cheveux ne trouva aucun mal à faire son diagnostic : « L'estomac de votre fille est aussi rétréci que celui d'un écureuil. »

La mère essaya de discuter avec sa fille des raisons de sa grève de la faim[13], mais cette dernière avait allié la parole à sa grève. Elle essaya aussi de la forcer à manger, mais c'est à peine si elle réussissait à lui faire avaler un fruit. Mais quand elle la surprit dans sa chambre, écoutant une chanson de Roch Voisine les yeux en larmes, tout de suite elle comprit. Marie était amoureuse, et quand on est amoureuse à quinze ans, on ne mange plus.

En fait, il n'y avait pas que Marie qui était amoureuse de lui, mais c'était elle, de loin, la plus affectée[14]. Elle passait sa journée à essayer de croiser son regard dans les couloirs du lycée, mais lui, comme toujours, avait les mains dans les poches de son jean délavé[15] et le

---

11. Passer en boucle (expr.) : *Passer tout le temps.*
12. Anorexique (adj.) : *Atteinte d'anorexie, une maladie qui se caractérise par la perte de l'appétit et parfois le refus de manger.*
13. Grève de la faim (expr.) : *Refus de manger (en général pour revendiquer quelque chose).*
14. Affectée (adj.) : *Touchée.*
15. Délavé (adj.) : *Décoloré.*

regard ailleurs. Ses yeux noirs étaient toujours à moitié clos[16] et ses cheveux bruns toujours décoiffés comme s'il venait de se réveiller. Comme les profs ne demandaient jamais à voir ses parents même lors des réunions d'orientation, toutes sortes de rumeurs couraient sur lui. On disait qu'il était orphelin[17], qu'il avait grandi dans la rue et qu'il avait lui-même choisi son nom, ayant commencé à parler avant que quiconque ne le nomma. Il ne parlait pas beaucoup et passait les récrés[18] à lire des livres de poche. Dans un plan d'approche compliqué que seule l'imagination d'une adolescente amoureuse pouvait élaborer, Marie tenta de glisser son regard sur la couverture de son bouquin[19]. Elle voulait savoir qui en était l'auteur pour s'acheter une de ses œuvres, et se voyait s'asseoir à côté de lui sur le banc. La surprise qui se dessinerait alors sur son visage laisserait ensuite place à la curiosité et à l'intérêt. Ils se parleraient et l'amour trouverait son étincelle ! Ah l'amour et ses doux baisers qui peuplaient ses rêves ! Mais sentant son regard, il leva vers elle des yeux paniqués, puis rangea précipitamment son livre. Il lui fit un sourire embarrassé avant de se lever et de partir à toute vitesse. Depuis, Marie ne mangeait plus.

---

16. Clos (adj.) : *Fermés.*
17. Orphelin (adj.) : *Qui n'a plus de parents.*
18. Récré (n.f.) : *Abréviation de récréation (pause à l'école).*
19. Bouquin (n.m.) : *Livre. (fam.)*

Sophie, sa mère, était heureuse que l'amour soit la cause de la grève de la faim de sa fille. Mais malgré ses tentatives de discussion répétées, elle n'arriva pas à la convaincre que ne pas manger ne servait à rien sauf à l'enlaidir[20], et que ça lui coûterait à la fois sa santé et son amoureux. La jeune fille fanait comme une fleur qui perdait chaque jour un nouveau pétale.

Ayant déjà l'ouverture d'esprit nécessaire et le désespoir suffisant, elle traîna sa fille chez un marabout[21] sénégalais sur le conseil d'une voisine de quartier antillaise. Ce marabout, Haj Souleymane, dont elle lui fit l'éloge[22], était spécialiste des chagrins de cœur et sa magie noire rendait à sa femme l'époux infidèle et aveuglait de passion celui qui y semblait le plus indifférent. Elle-même y avait eu recours en jetant un sort à son mari qui avait l'instinct de conservation plus développé que celui du reste des hommes, et qui n'arrêtait pas de semer ses spermatozoïdes ailleurs qu'au champ conjugal[23]. Souleymane lui avait rétréci le sexe de plus de la moitié et le voilà maintenant qui n'ose plus découcher[24], ravalant sa honte avec son pénis d'enfant!

Sophie attendit son tour sur un pouf[25] dans un salon tapissé de fourrure pourpre de chèvre en regardant d'un

20. Enlaidir (v.) : *Rendre laid, moche.*
21. Marabout (n.m.) : *Guérisseur.*
22. Faire l'éloge (expr.) : *Faire des compliments, dire beaucoup de bien.*
23. Conjugal (adj.) : *Relatif au mariage, en rapport avec le mariage.*
24. Découcher (v.) : *Coucher ailleurs que chez soi.*
25. Pouf (n.m.) : *Siège qui ressemble à un gros coussin.*

œil inquiet les tableaux bizarres et les inscriptions dans une langue inconnue sur les murs qui se déshabillaient de leur peinture blanche. Marie avait le regard ailleurs, la faiblesse de son corps ne permettait pas à son esprit de comprendre que son sort était désormais entre les mains du surnaturel. Des gens de tous âges et couleurs étaient assis, et tous transpiraient et respiraient profondément en silence dans l'attente du miracle. L'atmosphère était lourde et l'air âcre[26]. Quelques mouches volaient d'un mouvement circulaire perpétuel, comme si elles étaient prisonnières d'une spirale invisible du temps. Une grosse dame noire assise sur le pouf voisin commença à discuter avec Sophie, écouta d'une oreille attentive ses malheurs, et la rassura sur le sort de sa fille. Tous ceux qui ont mis leurs destins entre les mains du Haj Souleymane en remercient le Bon Dieu aujourd'hui, lui dit-elle. Puis elle s'excusa pour aller aux toilettes. Cinq minutes plus tard, une autre dame invita Sophie à rentrer dans la chambre du sorcier. Le décor était le même que celui du salon, à part les quelques vipères[27] et scorpions embaumés dans des cages de verre. Le Haj, qui était accroupi sur un tapis au fond de la pièce, se leva et fixa de son regard perçant la mère et la fille. Il était assez âgé, noir, grand et maigre, sa barbe blanche descendait jusqu'à sa poitrine, et le blanc de ses yeux était rouge. Ses mains et son cou

---

26. Âcre (adj.) : *Irritant.*
27. Vipère (n.f.) : *Petit serpent venimeux.*

étaient marqués par la lèpre[28]; à sa bouche manquaient quelques dents. Il portait une djellaba blanche et tenait un chapelet[29] entre les longs doigts de sa main droite. Sophie frissonna à sa vue et eut du mal à regarder dans les yeux l'homme qui lui semblait sorti tout droit des pages des *Mille et une Nuits*. Comme s'il avait deviné ce qui lui passait par la tête, il lui dit d'une voix profonde : « Appwochez Sophie, n'ayez cwainte, vous avez bien fait de m'emmener Mawie. » Sophie trembla comme une feuille et eut la certitude que l'homme qui se tenait debout devant elle communiquait avec quelques esprits d'un autre royaume. Comment expliquer sinon qu'il sache comment elles s'appelaient avant même qu'elle n'eût ouvert la bouche ! Il s'avança, tint chacune d'elles par la main et les fit asseoir sur le tapis avant de s'accroupir devant elles. Marie commença à frissonner à son tour mais sa langue demeura trop lourde pour prononcer le moindre mot. Souleymane mit sa main gauche sur la tête de la jeune fille, et sa main droite défilait frénétiquement[30] sur les graines du chapelet. Il récitait les dents serrées des phrases incompréhensibles et de temps en temps gesticulait[31] si brusquement que Sophie en était prise de peur. Après quelques minutes, il enleva sa main de la tête de Marie et s'adressa à Sophie :

---

28. Lèpre (n.f.) : *Maladie qui s'attaque à la peau.*
29. Chapelet (n.f.) : *Collier de grains utilisé pour la prière.*
30. Frénétiquement (adv.) : *Furieusement, de manière violente.*
31. Gesticuler (v.) : *Faire beaucoup de gestes dans tous les sens.*

« Chwistian n'est qu'une pawtie du pwoblème, je savais que Mawie était la cible d'un mauvais œil dès qu'elle est entwée dans mon appawtement.

— Qu'est-ce qu'il faut faire ? demanda Sophie d'une voix à peine audible[32].

— D'abowd, je vais lui enlever le mauvais œil, ensuite, on s'occupewa de ce Chwistian. »

Haj Souleymane ouvrit un placard, et en sortit du coton, un paquet de raisins secs et une bobine de fil[33] en nylon. Il coupa un mètre de fil, y accrocha au bout un raisin sec et l'enveloppa de coton, puis il demanda à Marie de l'avaler. Marie s'accrocha au bras de sa mère et pour la première fois depuis des jours, la regarda dans les yeux et dit d'une voix étouffée[34] : « Maman. » Sophie lui caressa les cheveux : « Fais ce qu'il te demande, ma chérie. »

Elle finit par avaler. Souleymane tenait entre son pouce et son index le fil qui descendait progressivement dans son œsophage[35] jusqu'à son estomac[36]. Il commença alors à tirer doucement dans le sens inverse, et plus il tirait, plus Marie suffoquait. Puis, arrivant presque à la gorge, il tira d'un coup avec force. Et il tomba par terre avec le raisin sec enveloppé de coton,

---

32. Audible (adj.) : *Qu'on peut entendre.*
33. Bobine de fil (n.f.) : *Rouleau de fil.*
34. D'une voix étouffée (expr.) : *D'une voix faible.*
35. Œsophage (n.m.) : *Partie du tube digestif entre la gorge et l'estomac.*
36. Estomac (n.m.) : *Partie du système digestif (système pour transformer les aliments).*

un petit bout de papier sur lequel étaient inscrits des signes étranges, et un œil.

Sophie s'évanouit sur-le-champ mais elle fut réveillée rapidement avec de l'eau de jasmin par l'assistante du Haj. Elle prit dans ses bras son enfant qui tremblait dans un coin de la pièce et lui dit : « T'inquiète pas ma chérie, c'est fini. » Haj Souleymane était accroupi[37] au même endroit et tenait une poule noire qu'il caressait de ses longs doigts.

« N'ayez cwainte, mes filles. On a chassé le mauvais œil et maintenant on va guéwiw l'amouw en deuil. »

Et avant même de finir sa phrase, la poule pondit un bel œuf bien rond. Il jeta la poule dans un coin de la pièce, tint l'œuf entre ses mains et murmura de longues phrases, puis il traça avec une plume des signes sur sa coque et tendit l'œuf à Sophie.

« Celui qui mangewa cet œuf, cwu ou cuit, tombewa, twois jouws apwès, amouweux de votwe fille, et ne pouwwa plus vivwe une seconde sans elle. »

En quittant la tanière[38] du Haj, Sophie avait la certitude d'avoir sauvé sa fille de la route de la perdition[39] tracée par les forces de l'au-delà. Elle mit l'œuf dans le

---

37. Accroupi (adj.) : *Assis sur ses talons, les genoux pliés, en équilibre sur la pointe des pieds.*
38. Tanière (n.f.) : *Abri d'un animal sauvage. Ici, lieu misérable et retiré.*
39. Perdition (n.f.) : *Perte, danger.*

frigo et s'enferma avec Marie dans sa chambre pour réfléchir à la manière dont elle allait le faire avaler à Christian. Le soir même, son mari, affamé par sa longue journée de travail dans une multinationale d'informatique, se fit une omelette de six œufs qu'il avala avec deux bières puis monta se coucher sans dire un mot. Le lendemain matin, quand Sophie ouvrit son frigo pour faire un gâteau avec l'œuf ensorcelé[40], elle constata avec effroi sa disparition, et vit, alarmée, les coques cassées à côté de la cuisinière. Elle pleura en secret pendant des heures ses cinq mille francs de la veille, et imagina entre ses larmes son mari aveuglé d'une passion surnaturelle pour sa fille unique. Elle tassa les affaires de Marie dans des valises et l'envoya dès le lendemain dans l'internat d'un lycée parisien. Elle lui fit croire que les pouvoirs de l'au-delà de Souleymane lui avaient révélé que son amoureux était voué à l'homosexualité, et que les esprits lui avaient commandé de quitter au plus vite la ville où elle était la cible du mauvais œil. Elle fit croire aussi à son mari que changer de ville était d'après les médecins l'unique moyen de sauver sa fille de la momification[41]. Marie, qui avait toujours du mal à comprendre ce qui lui arrivait, découvrit avec des yeux ébahis[42] la grande capitale. Et quand l'un de ses camarades de classe l'emmena faire un tour sur sa Vespa dans les rues de Montmartre, puis l'embrassa avec la

40. Ensorcelé (adj.) : *Magique, auquel on a jeté un sort.*
41. Momification (n.f.) : *Transformation en momie.*
42. Ébahi (adj.) : *Très surpris, étonné.*

langue sous le Sacré-Cœur, elle oublia les yeux à moitié clos de Christian et ses dents blanches. Elle recommença à manger comme avant et la fleur retrouva ses pétales.

Quand le hasard maître des dés avait décidé de recroiser leurs routes, onze ans plus tard, il avait choisi un vieux café de Paris où l'expresso ne coûtait même pas cinquante centimes de minutes. Elle n'eut aucun mal à le reconnaître, il avait toujours les yeux à moitié clos et les cheveux décoiffés comme s'il venait de se réveiller à l'instant même. Sa tête était plongée dans un livre de poche comme au temps où elle le cherchait impatiemment du regard dans la cour. Il portait le même jean délavé et le même pull gris. Elle eut un sourire ironique au souvenir de cette époque d'adolescence imbécile, tourna les talons et sortit du café. Elle fit à peine quatre pas qu'elle opéra[43] un demi-tour, décidée à finalement remercier cet homme sorti du passé comme le génie d'une lampe. Mais il n'était plus là, il avait disparu. Elle revint les jours suivants à la même heure, dans l'espoir de voir sa tête décoiffée plongée dans son livre de poche, et finit au bout d'une semaine par croire à une hallucination[44].

La vue du fantôme de Christian sorti des griffes de l'oubli lui permit de se soulever au-dessus de l'instant

43. Opérer (v.) : *Ici, faire.*
44. Hallucination (n.f.) : *Illusion, mirage.*

pour voir le chemin qu'elle avait parcouru depuis onze ans. Malgré son appétit retrouvé grâce à la Vespa et aux baisers de son camarade de l'époque, le souvenir de la grande silhouette du Haj Souleymane, de ses mains lépreuses et de sa barbe blanche l'avait terrorisée, et l'œil qu'il avait sorti de son estomac avait nourri ses cauchemars pendant de longues nuits. Elle en était arrivée à ne plus pouvoir regarder les gens dans les yeux, s'imaginant qu'elle allait, d'un moment à l'autre, en cracher un. N'ayant pas le courage de parler à qui que ce soit de son lourd secret, elle décida de se sortir elle-même de son calvaire[45]. Elle commença par rejeter l'idée du surnaturel, des esprits et des forces de l'au-delà, se disant pour se convaincre que si le Haj avait autant de pouvoirs, il aurait pu manger quelques-uns de ses œufs pour soigner sa lèpre. Puis elle essaya d'analyser les événements et de trouver leurs raisons d'être profondes. Elle développa du coup un esprit d'analyse remarquable. Ainsi, elle se découvrit un goût insoupçonné et immodéré[46] pour les sciences et les mathématiques, motivé par une peur cachée du surnaturel et de la non-maîtrise de son propre sort. Elle finit première de son lycée au bac scientifique, effectua un cycle préparatoire et intégra[47] l'École nor-male supérieure au bout de deux ans. Elle enchaîna

---

45. Calvaire (n.m.): *Épreuve difficile, souffrance.*
46. Immodéré (adj.): *Excessif, sans limite.*
47. Intégrer (v.): *Être admis, entrer dans une école.*

avec un DEA[48] et une thèse de mathématiques qui avait provoqué un mini-séisme[49] dans les milieux spécialisés. Et la voilà aujourd'hui professeur à l'université de Stanford et Berkeley, et directrice du département de recherche en mathématiques appliquées à l'École normale supérieure. Elle voulait revoir Christian pour le remercier, mais au bout d'une semaine, elle finit par croire à une hallucination due à sa mauvaise nuit de sommeil et à l'œuf à la coque qu'elle avait mangé le matin de ce jour-là.

---

48. DEA (n.m.): *Diplôme d'Études Approfondies qui correspond à environ 5 années d'études.*
49. Séisme (n.m.): *Tremblement de terre, grand bouleversement.*

En aparté

C'est une histoire

C'était un homme qui s'en foutait grave[50] Quand on lui demandait son avis sur quelque chose il renversait sa lèvre inférieure et disait Je n'en ai rien à foutre On l'appela l'homme qui n'en avait rien à foutre

C'était une femme de convictions comme toute mathématicienne Elle était intimement[51] convaincue que chaque être humain est développable en série de Fourier[52] Quand on lui demandait son avis sur quelqu'un elle mordait sa lèvre inférieure et disait Je suis sûre qu'il est développable en série de Fourier On

---

50. S'en foutre grave (expr. fam.): *S'en moquer, ne pas y accorder d'importance.*
51. Intimement (adv.): *Profondément.*
52. Série de Fourier: *Concept d'analyse pour étudier les fonctions mathématiques (en général vise à décomposer quelque chose de compliqué en plusieurs problèmes simples).*

l'appela la femme qui était sûre que tout être humain est développable en série de Fourier

Quand le hasard maître des dés a croisé leurs routes il avait choisi un vieux café de Barcelone où l'expresso ne coûte même pas cinquante centimes de minutes Quand elle a vu l'homme qui n'en avait rien à foutre la femme qui était sûre que tout être humain était développable en série de Fourier eut sur-le-champ une envie forte et soudaine de le développer en série de Fourier Mais l'homme qui n'en avait rien à foutre n'avait rien à foutre que la femme qui était sûre que tout être humain est développable en série de Fourier ait envie de le développer en série de Fourier Alors quand elle s'approcha de lui mordit sa lèvre inférieure et dit J'ai envie de vous développer en série de Fourier il renversa sa lèvre inférieure et dit Je n'en ai rien à foutre

Quelque part dans le ciel
entre Barcelone et Paris.

Chapitre Trois

Quand il fit une opération de soustraction[53], il trouva qu'il respirait depuis plus d'un quart de siècle, et maudit encore une fois les mathématiques. Il se réveilla sans pouvoir ouvrir les yeux, et mit quelques secondes à prendre conscience de son corps, de l'espace et du temps. Quelques secondes usurpées[54] pour espérer se réveiller dans un autre lit, dans une autre époque. Mais il était bel et bien là, là où la veille il avait signé avec la vie une trêve[55] d'une nuit. Il se leva, se cogna la tête des deux côtés dans le couloir étroit de son appartement jusqu'à ce qu'il soit arrivé à la salle de bain, puis tenta d'ouvrir les yeux sous la douche froide. Il n'y parvint qu'à moitié une heure plus tard, en buvant

---

53. Soustraction (n.f.) : *Opération mathématique où on enlève un nombre à un autre (ex. : 10 − 3 = 7).*
54. Usurpé (adj.) : *Volé, pris sans en avoir le droit.*
55. Trêve (n.f.) : *Pause.*

un café extra-serré sur le chemin du labo[56], et dit :
« Aujourd'hui, j'arrête de fumer, aujourd'hui j'arrête de
me ronger[57] les ongles, aujourd'hui j'arrête de boire,
aujourd'hui je me remets à faire du sport, aujourd'hui je
me mets à manger des fruits. » Puis, une fois au labo, il
plongea sa tête décoiffée dans une équation qu'il tentait
de résoudre depuis six semaines déjà, et après s'être
méthodiquement rongé les ongles, alluma sa première
clope[58]. Il mangea à 15 heures un sandwich jambon-
beurre qu'il commanda en contemplant les diverses
feuilles de papier en pagaille[59] sur son bureau, fixa
longuement l'équation, les yeux à moitié fermés, puis
alluma sa septième clope de la journée. À 19 heures,
il ramassa quelques feuilles, les mit dans un dossier et
prit le chemin de la maison. Dans le métro, il ouvrit le
dossier, jeta un coup d'œil sur le grand signe du calcul
intégral qui se dressait devant lui comme un cobra[60] et
serra les dents. Arrivé chez lui, il se prépara un steak
surgelé qu'il avala avec deux bières fraîches, gratta sa
barbe naissante et quelques feuilles de calcul dans une
ultime[61] tentative de la journée, puis s'effondra sur son
lit à minuit pour faire le même cauchemar que depuis
un mois. Il rêvait qu'il marchait dans un désert où les

---

56. Labo (n.m.) : *Laboratoire.*
57. Ronger (v.) : *Abîmer avec les dents, manger.*
58. Clope (n.f.) : *Cigarette. (fam.)*
59. En pagaille (expr.) : *En désordre.*
60. Cobra (n.m.) : *Serpent.*
61. Ultime (adj.) : *Dernière.*

dunes de sable s'étendaient à perte de vue[62]. Il marchait des heures, et le soleil, étrangement bleu, le cuisait comme un steak surgelé. Il cherchait dans les poches de son jean délavé son paquet de clopes mais n'y trouvait qu'un bel œuf bien rond et quatre-vingts centimes d'euro. Il continuait sa marche d'incertitude, lorsque de loin, il vit une maison toute blanche avec des fenêtres bleues sur le bord d'une mer infinie. Il accélérait le pas pour y arriver, quand un cobra géant se souleva des entrailles[63] des dunes pour lui barrer le chemin. Il faisait trente pieds de haut, cinq de diamètre et devait peser au moins quatre cents livres à jeun[64]. Sa peau noire luisait[65] comme une cuirasse et ses yeux étaient aussi rouges que du sang. Le mouvement frénétique de va-et-vient de sa langue fourchue[66] s'intensifiait, et brusquement, il balança vers l'avant sa gueule ouverte pour l'avaler tout cru. Il n'avait rien pour se défendre et lança, du sommet de son désespoir, l'œuf sur la tête du serpent. L'œuf s'y écrasa dans un bruit sourd et bizarrement, le reptile se tordit de douleur comme s'il avait été touché par la foudre, et finit par s'enfoncer dans les dunes d'où il s'était levé. Et il se réveilla, sans rien se rappeler, avec juste l'impression d'avoir fait un mauvais

---

62. À perte de vue (expr.) : *Jusqu'à l'horizon, aussi loin que la vue peut porter.*
63. Entrailles (n.f.) : *Ici, les profondeurs.*
64. À jeun (expr.) : *Avant d'avoir mangé, le ventre vide.*
65. Luir (v.) : *Briller, refléter la lumière.*
66. Fourchu (adj.) : *Qui se divise en deux.*

rêve. Il se cogna la tête des deux côtés dans le couloir étroit de son appartement jusqu'à la salle de bain, puis tenta d'ouvrir les yeux sous la douche froide. L'éternel recommencement. Les jours défilent dans une rigueur ennuyeuse. Jamais un jeudi n'était assez galant[67] pour laisser un vendredi lui passer devant, ni un lundi assez distrait pour arriver en retard. Avant le cobra, l'œuf et les quatre-vingts centimes d'euro, il rêvait d'un monde où le temps n'était pas infernalement circulaire. Il voulait se réveiller, comme il lui était arrivé autrefois, sans savoir l'heure qu'il était, inventer pour chaque nouvelle journée un nouveau nom, faire des semaines à un jour et des mois qui ne duraient qu'une minute. Mais à chaque fois, il se réveillait dans un jour déjà nommé, et comme depuis six semaines, il vivait la même journée à une date près. Toujours cette équation qui se refusait aux lois de la logique humaine. Il finit par expliquer son désarroi[68] à son encadreur de thèse à l'université Pierre et Marie Curie, le professeur Louis Durand, dont le temps avait blanchi les cheveux sans pour autant noircir les dents. Ce dernier enleva ses lunettes, regarda de ses petits yeux bleus les dix-huit lignes de l'équation et le rassura : « En physique quantique[69], on n'est jamais à l'abri d'un calcul de spécialistes. » Il lui

---

67. Galant (adj.) : *Attentionné, poli (en général envers les femmes).*
68. Désarroi (n.m.) : *Trouble, angoisse.*
69. Physique quantique (n.f.) : *Théorie scientifique de l'infiniment petit (particules, atomes).*

tapa amicalement sur l'épaule et reprit en souriant:
« Ne t'inquiète pas Christian, même Einstein, paraît-
il, était un bien mauvais mathématicien. » Christian
sourit à son tour à la phrase de son professeur qui
avait l'art de commenter sans qu'on sache vraiment s'il
complimentait ou se moquait. Il lui fila le numéro d'une
brillante mathématicienne qui dirigeait le département
de recherche de l'École normale supérieure, et qui
enseignait dans de prestigieuses universités de l'autre
côté de l'Atlantique. Il lui demanda de l'appeler de sa
part et de ne pas trop abuser[70] de son temps précieux, et
lui conseilla de se raser et de ne pas penser à l'équation
de peur qu'il ne perde la raison avant de la rencontrer.
Christian remercia son professeur, nota le numéro et
rentra chez lui. Il mangea une salade de tomates, fit
quelques pompes[71] et ouvrit la porte poussiéreuse d'une
pièce de son appartement. Il y avait tellement de livres
de poche que la porte en était presque condamnée. Il
s'y enferma.

Le lendemain matin, il se rasa sous sa douche
froide et partit dans le quartier de l'École normale,
dans l'espoir d'obtenir un rendez-vous le jour même.
Il se posa dans un vieux café et tenta d'ouvrir les yeux
en buvant un café extra-serré, mais comme toujours,

---

70. Abuser (v.): *Profiter de manière exagérée.*
71. Pompe (n.f.): *Exercice de gymnastique. (fam.)*

il ne réussit à les ouvrir qu'à moitié. Il murmura :
« Aujourd'hui, j'arrête de fumer, aujourd'hui j'arrête
de me ronger les ongles, aujourd'hui j'arrête de boire,
aujourd'hui je me remets à faire du sport, aujourd'hui
je me mets à manger des fruits. » Il sortit son téléphone
portable, appela le numéro et tomba sur la secrétaire.
Elle lui demanda de rappeler la semaine suivante
pour prendre rendez-vous. Il la remercia, raccrocha et
maudit[72] encore une fois les mathématiques. Il sortit de
la poche arrière de son jean délavé un livre et y plongea
la tête quelques minutes, puis sentant la chaise du vieux
café craquer sous son poids, il se leva et se rendit au
jardin du Luxembourg, là où l'herbe fraîche ne rejette
jamais quelqu'un qui bouquine[73].

---

72. Maudire (v.) : *Prononcer une malédiction.*
73. Bouquiner (v.) : *Lire. (fam.)*

Chapitre Quatre

La ville s'apprêtait à célébrer le jour de son indépendance. Trente ans plus tôt, à l'aube[74], le colonel Boblé, capitaine à l'époque, avait lancé l'assaut[75]. Les Allemands, en manque de provisions et de bonnes nouvelles, ne résistèrent pas longtemps. On racontait qu'il ne leur restait qu'une balle pour deux, qu'ils n'avaient même pas de gasoil pour démarrer leurs jeeps et que ceux qui avaient pris la fuite l'avaient fait à dos d'âne. Le capitaine remonta vers le nord avec son régiment, mais revint colonel quelques mois plus tard, et s'installa dans une maison sur la colline[76] des coquelicots[77] qui se hissait au bord de la ville. Certains murmuraient en secret qu'il était revenu par amour pour une infirmière

---

74. Aube (n.f.) : *Lever du jour.*
75. Lancer l'assaut (expr.) : *Mener l'attaque.*
76. Colline (n.f.) : *Petite montagne.*
77. Coquelicot (n.m.) : *Fleur rouge qui pousse dans les champs.*

qui avait soigné son genou transpercé[78] par une balle alors qu'il libérait à lui seul l'hôtel de ville. La jeune femme, désespérée de ne plus avoir de ses nouvelles et le tenant pour mort[79] tandis qu'il combattait sur la frontière, se porta volontaire pour soigner les troupes de soldats en Indochine, et revint huit mois plus tard dans un cercueil[80] en bois. La ville l'enterra le cœur lourd de chagrin. Même le colonel, qui avait enterré de ses propres mains ses compagnons d'armes sans sourciller[81], versa trois larmes de l'œil droit avant de s'isoler sur les hauteurs de sa colline.

Trente ans plus tard, la ville s'apprêtait à célébrer le jour de son indépendance, et comme tous les ans, le maire avait invité le colonel à donner un discours sur la place de l'hôtel de ville dont il fut le libérateur, afin que les plus jeunes gardent en mémoire que du sang avait été versé pour qu'ils puissent aujourd'hui porter des strings. Quand il franchit le seuil de sa porte, le colonel se trouva nez à nez[82] avec une corbeille couverte d'un drap bleu ciel. Il se pencha, et en écartant le drap, alors qu'il pensait trouver des fruits offerts en l'honneur de sa

---

78. Transpercer (v.): *Traverser, trouer.*
79. Le tenant pour mort: *Le croyant mort.*
80. Cercueil (n.m.): *Caisse dans laquelle on met le corps d'un mort avant de l'enterrer.*
81. Sans sourciller (expr.): *Sans hésiter, sans avoir l'air troublé.*
82. Se trouver nez à nez avec quelqu'un (expr.): *Se trouver directement en face de quelqu'un.*

bravoure[83] passée, il y découvrit un bébé. Il se frotta les yeux, les ferma quelques secondes puis les rouvrit lentement, mais le bébé était toujours là, dans la corbeille, à ses pieds, devant sa porte ! Il le prit entre ses mains, le leva et le regarda. Il était chaud et tendre comme un sein, léger et doux comme un moineau[84], et ne semblait pas du tout impressionné par les décorations qu'arborait fièrement le vieux colonel sur son torse[85]. Il le prit entre les mains, le leva, le regarda et dit : « Et toi, quel pharaon fuis-tu ? »

Il le ramena à l'intérieur, le lava avec de l'eau chaude et du savon de Marseille, l'enveloppa dans un tissu en coton et le berça doucement contre sa poitrine en lui chantant des airs militaires jusqu'à ce qu'il s'endorme. Il partit ensuite à la pharmacie et acheta des couches, un biberon et des pots de compote. Pour la première fois depuis trente ans, le colonel Boblé manqua la fête de l'indépendance, et pour la première fois depuis trente ans, il ne sortit pas, tard dans la nuit, déposer en cachette un coquelicot sur la tombe de Rose.

---

83. Bravoure (n.f.) : *Courage.*
84. Moineau (n.m.) : *Petit oiseau.*
85. Les décorations qu'arborait fièrement le vieux colonel sur son torse : *Les médailles militaires que le colonel a sur sa veste.*

Chapitre Cinq

Avant que le hasard maître des dés n'ait croisé leurs routes, le colonel Boblé vivait parce qu'il n'était pas encore mort. Il vivait résigné, à un cheveu blanc près, une translation transverse et continue[86] du temps et de l'espace, comme un papillon coincé dans une toile d'araignée, et qui, sachant qu'il ne peut fuir, attendait avec fatalisme le sort inévitable. Il n'avait nullement[87] envie depuis d'éprouver, de sentir, de posséder, dans un monde où il y a plus de balles que d'êtres humains, dans un monde où notre propre destin nous échappe. En revenant du front, il s'était senti trahi quand il avait appris que Rose était partie aussi loin et s'était effondré[88] lorsqu'on l'avait ramenée sans vie. Mais

---

86. Une translation transverse et continue : *Termes de physique pour évoquer le fait qu'il traverse le temps et l'espace sans qu'il ne se passe rien.*
87. Nullement (adv.) : *Pas du tout.*
88. S'effondrer (v.) : *Être anéanti, abattu, perdre toute son énergie.*

quand on lui dit, alors que la terre au-dessus de sa tombe était encore fraîche, qu'elle le croyait mort au front, il plongea dans le désarroi. Pourquoi n'avait-elle pas reçu ses lettres presque quotidiennes qu'il envoyait depuis la frontière, alors que les soldats qui restaient sur place recevaient dans les temps les lettres officielles de l'armée ? Le soir même, entre deux bouteilles de vin, il eut un éclair.

« Enfoiré[89] de Briard ! » dit-il en serrant les dents. Il chargea son revolver, puis sortit de chez lui tremblant de colère. Il défonça la porte de la maison du facteur, et le trouva les yeux brillants, allongé sur un tas de lettres qu'il ouvrait et lisait dans une boulimie[90] baveuse. Il avait sur ses étagères des centaines de dossiers classés par ordre alphabétique et qui portaient le nom des gens de la ville. Le colonel Boblé lui cracha à la figure, lui tira une balle entre les yeux et brûla la maison. Les pompiers, bien qu'il eût plu toute la semaine, n'arrivèrent à éteindre le feu qu'au bout de la troisième nuit. Le lendemain matin, on enterra ses os encore brûlants six pieds sous terre.

Le colonel se retira dans la colline des coquelicots. Il n'en descendait que pour s'acheter des vivres[91] et des livres de poche. Dans sa solitude, il en lisait un par jour

---

89. Enfoiré (n.m.) : *Insulte pour une personne mauvaise ou imbécile (vulg.).*
90. Boulimie (n.f.) : *Ici, désir, appétit intense (sens figuré).*
91. Vivres (n.m. pl.) : *De la nourriture.*

pour ne pas se donner la mort, comme s'il était sa propre Shéhérazade. Il en avait lu dix mille quand le hasard maître des dés avait décidé de croiser leurs chemins.

Le colonel Boblé comprit que, si les balles qui pleuvaient au front lui avaient épargné[92] la vie, c'était pour ce bébé et non pour Rose. Il décida de l'élever comme un fils et d'en faire l'œuvre de sa vie. Il l'appela Christian.

Christian grandit vite et poussa comme un champignon. Il ne pleurait presque jamais, et il avait l'air fort intéressé lorsque le colonel se penchait sur son berceau pour lui lire des livres de poche. À cinq ans, il savait lire, écrire, connaissait les capitales de tous les pays du monde et les raisons profondes des deux guerres. Ses yeux noirs étaient à moitié clos comme s'il prolongeait dans ses rêveries les exploits des héros et les tragédies des amoureux qui sortaient d'entre les pages des livres et peuplaient la grande maison. Quant à ses cheveux, ils étaient toujours décoiffés comme s'il venait tout juste de se réveiller. Le colonel, qui n'arrivait plus à s'en séparer, ne l'envoya pas à l'école et décida de lui enseigner lui-même les matières scolaires. Et comme les journées duraient plus longtemps sur la colline des coquelicots et que les vacances n'y étaient pas une notion connue, le garçon finit à treize ans le programme de seconde et trois cents livres de poche. Le colonel, sentant ses

---

92. Épargner (v.) : *Laisser la vie sauve, ne pas tuer quelqu'un.*

forces s'éteindre doucement, l'inscrivit dans un lycée des faubourgs[93] de la ville, où il fut admis en première après un test de niveau.

Le garçon, qui n'avait jamais vu une concentration aussi importante de gens de son âge, et qui n'était pas habitué au chahut[94] des cours ni au bruit incessant des récréations, se sentit paniqué. Il attendait toute la journée le soir où il rentrait retrouver son vieux père. Il parlait peu et passait ses récrés à lire des livres de poche. Malgré les assauts continus des hormones qui transformaient son corps, il ne sentait pas palpiter[95] dans sa poitrine le cœur frivole[96] d'un adolescent et évitait de croiser les petits couples qui s'embrassaient à pleine bouche dans les couloirs pour imiter *Hélène et les garçons*. En réalité, Christian était préoccupé par un tout autre problème. Remarquant que son père perdait progressivement l'usage de ses sens et de ses jambes, il se douta que la mort rôdait[97] autour de la colline. Affolé par la perte de son unique famille, il s'intéressa aux livres sur la cryogénisation[98] et les techniques de conservation par le froid, dans le but de congeler le colonel et de le

---

93. Faubourg (n.m.) : *Quartier extérieur à une ville.*
94. Chahut (n.m.) : *Désordre, agitation.*
95. Palpiter (v.) : *Battre.*
96. Frivole (adj.) : *Léger, insouciant.*
97. Rôder (v.) : *Errer avec une intention mauvaise.*
98. Cryogénisation (n.f.) : *Technique pour conserver les morts par le froid.*

ramener à la vie quand la science aurait réussi à diviser par cent le facteur du vieillissement biologique.

Il découvrit ainsi la thermodynamique et la théorie de Boltzmann, et l'évidence lui sauta aux yeux. En effet, cette théorie expliquait que le froid ordonnait les molécules de la matière dans une architecture rigoureuse, à l'image de l'eau qui se transforme en cristaux de glace à très basse température. La chaleur, quant à elle, provoquait l'agitation thermique, désordonnait les molécules et semait le chaos dans les architectures les mieux organisées, à l'image de l'eau qui devient furieuse quand elle est amenée à ébullition[99]. L'évidence sauta aux yeux de Christian : les hommes étaient des molécules à plus grande échelle, et se comportaient aussi selon les lois de la thermodynamique. Les architectures sociales les plus désordonnées de la planète se trouvaient dans les pays chauds, comme ceux d'Afrique et d'Amérique latine, alors que les sociétés des pays les plus froids, comme les pays nordiques, étaient nettement plus organisées. Dans un souci d'intégrité[100], il tira au hasard des pays chauds et des pays froids pour établir une comparaison. Ainsi il compara le Rwanda à la Finlande, la Colombie à la Suède et l'Arabie Saoudite à la Norvège. Il conclut alors qu'il faudrait plonger la planète dans une nouvelle ère de glace pour mettre fin aux conflits et aux misères

---

99. Ébullition (n.f.) : *État d'un liquide qui se transforme en gaz sous l'action de la chaleur.*
100. Intégrité (n.f.) : *Honnêteté.*

des hommes. En continuant ses lectures scientifiques, il apprit que la terre se réchauffait au fil des ans sous l'effet de serre[101] comme le four d'un artisan boulanger. Affolé, il entreprit quelques calculs et s'effraya des résultats qui prédisaient la disparition de l'espèce humaine dans les deux cents ans à venir. Il renonça à son rêve de devenir aviateur et accepta magnanimement[102] son destin de physicien qui inventerait les théories de l'inversement du processus du réchauffement planétaire.

Quand il dévoila sa grande découverte au colonel, ce dernier ne put s'empêcher de sourire. Voulant embarrasser[103] son enfant, il lui demanda comment il se faisait que l'Australie soit un pays développé, malgré sa chaleur et son désert. Christian réfléchit un moment, puis répondit que comme les hommes étaient des molécules à plus grande échelle[104], il fallait étudier leurs comportements sur un temps beaucoup plus long, et non sur un temps moléculaire. Ainsi, les Australiens, qui étaient de nouveaux arrivants en provenance d'Europe, n'avaient pas encore absorbé toute la chaleur latente[105], et il faudrait encore attendre quelques dizaines d'années

---

101. L'effet de serre : *Accumulation de chaleur dans l'atmosphère due à certains gaz.*
102. Magnanimement (adv.) : *Avec générosité, bienveillance.*
103. Embarrasser (v.) : *Gêner, mettre dans une situation difficile.*
104. À plus grande échelle : *Ici, en plus grand.*
105. Chaleur latente (terme de physique) : *Chaleur nécessaire pour transformer l'état d'un corps (par exemple de solide à gazeux).*

pour qu'ils soient tous portés à ébullition. Le colonel passa la main dans ses cheveux décoiffés, l'embrassa sur le front et se dit au fond de son cœur qu'il pouvait maintenant partir rejoindre dans les cieux Rose et ses compagnons de guerre.

Quelques années plus tard, quand le génocide rwandais fit plus d'un million de victimes à coup de haches et de machettes[106], que les barons colombiens de la drogue plongèrent le pays dans le sang, et qu'on dévoila au grand jour les liens de la famille royale saoudienne avec le terrorisme international, Christian eut un sourire amer. Il se rappela ses théories naïves[107] élaborées sur la colline des coquelicots. Depuis, il avait vécu. Il savait que même un nouvel âge de glace ne sortirait pas l'espèce humaine du pétrin[108], et qu'à ce rythme-là, il faudrait moins de deux cents ans pour que la nature voie naître le dernier homme.

---

106. Machette (n.f.) : *Sorte de grand couteau.*
107. Naïf (adj.) : *Simple, peu réfléchi, qui manque d'expérience.*
108. Sortir du pétrin (expr.) : *Sortir des ennuis, sortir d'une situation difficile.*

Chapitre Six

Sidi Bou Saïd est sans doute le plus bel endroit sur terre. L'histoire dit qu'après avoir été fait prisonnier en Égypte lors de sa première croisade[109], Saint-Louis, vaillant[110] chevalier et chrétien scrupuleux[111], en entreprit une deuxième vers Tunis où il trouva la mort, emporté par la peste qui décima[112] ses troupes. Mais la vérité est tout autre. Ensorcelé par la beauté de Sidi Bou Saïd, le roi de France ne put plus quitter l'endroit où son cœur avait envie de battre. Il y acquit[113] une superbe demeure, fit courir le bruit[114] de sa mort pestiférée et l'armée rentra à Paris sans son chef. Il y respira la magie pendant vingt

---

109. Croisade (n.f.) : *Au Moyen Âge, expédition militaire des chrétiens d'Occident pour reprendre Jérusalem.*
110. Vaillant (adj.) : *Courageux.*
111. Scrupuleux (adj.) : *Qui respecte les règles avec attention, consciencieux.*
112. Décimer (v.) : *Faire mourir un grand nombre de personnes.*
113. Acquérir (v.) : *Acheter.*
114. Faire courir le bruit (expr.) : *Lancer la rumeur.*

longues années avant de mourir de vieillesse, et fut enterré dans un cimetière arabe, parmi les musulmans qu'il était venu défier. Les sept cents ans passés depuis n'ont pas réussi à rider[115] la falaise qui avait les pieds dans la mer ni les maisons blanches aux fenêtres bleues qui se doraient paisiblement au soleil, parce que, à Sidi Bou Saïd, le temps s'arrête aux portes de la ville.

Nulle part ne serait heureux celui qui avait vécu à Sidi Bou Saïd et avait dû partir sous d'autres cieux[116]. Pourtant, quand au début des années cinquante, les actions de la guérilla tunisienne se multiplièrent, réclamant l'indépendance du pays, ses parents décidèrent de vendre leur maison et de regagner la France. Cinquante ans plus tard, et comme tous les matins, Rima ferma les yeux et se boucha les oreilles. Elle vit les ruelles étroites de Sidi Bou, entendit la nouba[117] des cigales[118] et la mélodie des vagues qui caressaient les pieds de la falaise, sentit sur sa peau les rayons du grand soleil et de la pleine lune, et dans son nez l'odeur du *machmoum el fell*[119] et des colliers de jasmin. Elle versa une larme à la mémoire d'une époque où elle courait pieds nus sur le sol chaud, où ses seuls soucis étaient de faire tourner les

---

115. Rider (v.): *Faire des rides, des plis de vieillesse.*
116. Sous d'autres cieux (expr.): *Ailleurs.*
117. Nouba (n.f.): *La musique militaire des tirailleurs (soldats) nord-africains ou, au sens familier, la fête.*
118. Cigale (n.f.): *Petit insecte qui peut faire beaucoup de bruit.*
119. Machmoum el fell: *Petit bouquet de jasmin. (arabe tunisien)*

toupies[120] comme les garçons et de rassembler dix centimes pour s'acheter un beignet au sucre. Elle ouvrit les
yeux en soupirant. Depuis longtemps, plus rien n'avait
d'âme, de goût, de saveur. Même les centaines de roses
et de tulipes qui se dressaient fièrement tout autour
d'elle lui paraissaient aussi fades[121] et pâles qu'une
ribambelle[122] de mannequins anorexiques. Elle en prit
une dizaine et commença à confectionner un bouquet.
Elle coupa les feuilles et les tiges épineuses[123], et enleva
doucement les pétales[124] rebelles. Elle les rassembla sur
une feuille du journal de la veille et se préparait à les
enrouler dedans quand son regard se figea sur le titre
d'un article. Elle crut rêver. Le journaliste titrait : « Le
peintre tchèque Milan Maratka en exposition du 17 au
21 mai à la galerie Chaumont, Paris 6 ».

Elle lut et relut, mais les lettres marmoréennes[125]
et impassibles restaient toujours dans le même ordre et
relataient[126] le même événement. Au fur et à mesure
qu'elle lisait, s'ouvrait dans son cœur une porte secrète
qu'elle pensait à jamais fermée, à jamais condamnée[127].

---

120. Toupie (n.f.) : *Jouet qu'on fait tourner sur sa pointe.*
121. Fade (adj.) : *Qui n'a pas beaucoup de goût, de saveur.*
122. Ribambelle (n.f.) : *Ici, groupe de personnes.*
123. Épineux (adj.) : *Avec des épines (des piquants).*
124. Pétale (n.m.) : *Partie de la fleur (souvent grande et colorée).*
125. Marmoréen (adj.) : *Qui a l'apparence du marbre, ici cela
signifie qu'elles semblent gravées.*
126. Relater (v.) : *Raconter.*
127. Condamner (v.) : *Ici, fermer pour toujours.*

Elle coupa l'article, plia le papier et le pressa contre sa poitrine pendant quelques secondes, comme pour empêcher son cœur de s'envoler. Elle respira à pleins poumons jusqu'à ce que ses jambes arrêtent leur valse involontaire, et rangea précieusement le papier dans un tiroir. Au moment où elle remplissait son arrosoir[128], l'eau lui sembla plus agitée que d'habitude, comme le présage d'un imminent soubresaut du destin[129]. Quelques secondes plus tard, alors qu'elle s'apprêtait à arroser les fleurs de la façade de sa boutique de fleuriste, elle entendit chanter un air qui avait bercé[130] son enfance.

Tout avait commencé en 1954. Le père de Rima, alors instituteur dans une école française à Tunis, fut affecté[131] dans une ville de province. La famille s'y installa, dans une petite maison au pied d'une colline parsemée de coquelicots, et dont la grande maison qui en couronnait le sommet était habitée par un colonel, héros de la guerre. Rima avait sept ans à l'époque, et avait toujours dans les oreilles le son des luths[132] du Café des Nattes. Elle chantonnait tout ce qu'elle disait et rêvait nuit et jour de devenir chanteuse. Sa mère, une

---

128. Arrosoir (n.m.) : *Objet qui sert à donner de l'eau aux plantes.*
129. Le présage d'un imminent soubresaut du destin : *Le signe qui annonce qu'un saut brusque du destin va bientôt se produire.*
130. Bercer (v.) : *Ici, sens figuré, marquer, imprégner.*
131. Être affecté (v.) : *Être nommé, avoir un poste.*
132. Luth (n.m.) : *Instrument de musique à cordes.*

dévoreuse d'hommes[133] insoupçonnée et une chrétienne convaincue de l'utilité de la religion, l'inscrivit à la chorale de l'église pour pouvoir accueillir plus souvent son amant. À seize ans, quand la fille annonça à ses parents sa volonté de quitter les bancs de l'école pour se consacrer à sa carrière de chanteuse, son père, qui nourrissait pour elle des rêves d'avocate ou de médecin, en devint rouge de colère, et lui cria qu'il la renierait[134] si elle empruntait le même chemin que les putains des cabarets[135]. Elle en pleura une semaine sans s'arrêter, au point que ses yeux en devinrent à moitié clos, et projeta de fuguer[136]. Quelque temps plus tard, quand le mois de mai qui transforme les chenilles[137] de la colline des coquelicots en papillons frappa aux portes du temps, Rima vola quatre cents francs à son père et prit le train pour Paris. Une fois arrivée, elle fit le tour des bars et finit par trouver dans l'un d'eux une troupe de jeunes musiciens qui rêvaient de gloire artistique. Ils écoutèrent son histoire, furent saisis par sa beauté et son courage, et fascinés[138] par la pureté de sa voix. Ils virent en elle la chanteuse qui leur manquait, et le soir, elle dormit entre eux dans le hangar où ils vivaient et répétaient.

---

133. Une dévoreuse d'hommes : *Une femme qui a beaucoup d'amants.*
134. Renier (v.) : *Rejeter, refuser de la reconnaître comme son enfant.*
135. Les putains des cabarets : *Les prostituées de bars où ont lieu des spectacles.*
136. Fuguer (v.) : *S'enfuir.*
137. Chenille (n.f.) : *Larve de papillon.*
138. Fasciné (adj.) : *Ébloui, charmé.*

Chapitre Sept

Les années passèrent vite. Rima et ses musiciens jouaient toujours dans des bars et n'avaient pas pu enregistrer la moindre maquette[139]. Le groupe finit par se dissoudre[140]. Grâce à un boulot de serveuse à mi-temps, Rima réussit à s'assumer[141], et n'abandonna pas ses rêves. Elle rejoignit quelques mois plus tard un groupe de jazz. Les musiciens étaient plus talentueux, et les opportunités d'enregistrement tellement plus réelles, qu'elle quitta son boulot de serveuse pour se donner pleinement à la musique. Elle se vit, dans cette partie de l'âme où règne l'ivresse, chanter à Broadway et faire la couverture du *New York Times*. Quelques mois plus tard, à l'occasion de la Fête de l'Humanité, le groupe fut remarqué par un producteur. Ils enregistrèrent leur première maquette.

---

139. Maquette (n.f.) : *Ici, projet de disque.*
140. Se dissoudre (v.) : *Ici, cela signifie que les musiciens se séparent.*
141. S'assumer (v.) : *Ici, gagner sa vie.*

Pendant ce temps-là, la fièvre de la libération sexuelle enflammait les rues de Paris et l'orgasme devint une obligation citoyenne. Rima, qui avait respiré dans son enfance l'air sacré de Sidi Bou et rêvait d'un destin de princesse des *Mille et une Nuits*, ne parvint pas à participer à la débandade totale[142] de la morale. Elle refusa de fumer le cannabis du calumet[143] de la révolution et de coucher dans les parcs publics avec des pseudo-intellectuels défoncés[144]. Les membres de son groupe la trouvèrent traditionaliste et virent en elle l'incarnation[145] des valeurs qu'ils dénonçaient. Ils la remplacèrent au bout de quelques semaines par une chanteuse libérée aux mœurs[146] douteuses. Sa rébellion contre la dictature de la jouissance[147] se fit rapidement savoir et elle se fit exclure du milieu des jeunes artistes. Elle reprit les larmes aux yeux son boulot de serveuse et ne retrouva le sourire que deux années plus tard, lorsqu'elle servit un café à un jeune peintre praguois qui fuyait l'occupation soviétique. Ils se retrouvèrent dans un monde qui les avait persécutés et où chacun d'eux se demandait ce qu'il était venu y faire. L'amour les attacha de son ruban[148] invisible, et ils vécurent ensemble dans

---

142. Débandade (n.f.) : *Défaite, fuite.*
143. Calumet (n.m.) : *Pipe.*
144. Défoncé : *Sous l'effet de la drogue. (fam.)*
145. Incarnation (n.f.) : *Représentation concrète.*
146. Mœurs (n.f.) : *Habitudes de vie, habitudes sociales.*
147. Jouissance (n.f.) : *Plaisir.*
148. Ruban (n.m.) : *Étroite bande de tissu.*

un petit appartement à Montmartre, à l'abri de l'euphorie[149] droguée du sexe. Mais le peintre, tourmenté par sa fuite, n'arrivait pas à trouver la paix intérieure, même entre les bras de Rima qui ne se doutait de rien. Ses tableaux surréalistes en devinrent tellement violents qu'ils donnaient le cafard[150] à ceux qui osaient les regarder de près, et il n'arriva pas à en vendre dans l'ambiance happy du flower power. Un soir, en rentrant de son travail, Rima trouva une lettre sur la table et l'appartement vide. Il lui expliquait qu'il ne pouvait plus vivre loin de la Bohème[151] qu'aucun mouvement politique n'arriverait à libérer si ses artistes la désertaient, qu'il avait passé avec elle les plus beaux jours de sa vie et que, toujours, il la garderait dans son cœur. Elle posa la lettre sur la table, s'assit sur une chaise et attendit. Elle avait la certitude qu'il allait pousser la porte et rentrer, ou que le réveil allait sonner et la sortir de ce mauvais rêve. Elle resta assise sans bouger pendant deux jours, et quand la pluie fine frappa contre les vitres de la fenêtre, elle éclata en sanglots[152]. C'était l'automne. Elle voulait lui annoncer qu'elle était enceinte, mais il était déjà loin.

---

149. Euphorie (n.f.) : *Bonheur intense, exalté.*
150. Donner le cafard (expr.) : *Déprimer.*
151. La Bohème (n.f.) : *Région de la Tchéquie.*
152. Éclater en sanglots (expr.) : *Se mettre à pleurer très fort.*

Chapitre Huit

Rima se trouva seule au monde, et plus son ventre grossissait, plus elle plongeait dans la nostalgie de son enfance heureuse. Le temps lui paraissait comme un automne éternel qui défeuille[153] sans cesse l'arbre fragile de l'innocence et du rêve. Elle prit un congé de cinq semaines avant l'accouchement et les passa à se caresser tendrement le ventre et à lui chantonner les vieux airs qu'elle entendait jadis au Café des Nattes. Le printemps avait déjà chassé l'hiver quand elle mit au monde un beau petit garçon.

Sentant qu'elle n'avait ni les moyens ni le courage d'élever toute seule son enfant, elle décida de retourner chez ses parents. Elle fermait les yeux et se voyait rentrer à la maison comme si elle était partie hier, demandant pardon à son père et pleurant sur l'épaule de sa mère qui lui dirait que ce n'était pas grave. Elle voyait son garçon

---

153. Défeuiller (v.) : *Enlever les feuilles.*

courir derrière les papillons de la colline et aller à l'école tôt le matin avec son grand-père. Deux mois plus tard, à la veille des fêtes de l'indépendance, elle acheta une belle corbeille[154] de cerises et un billet de train et arriva le soir, son bébé contre le cœur, toute tremblante devant la maison. Les lumières étaient éteintes et le silence enveloppait le pied de la colline. Elle frappa à la porte mais personne n'ouvrit. Elle attendait devant depuis plus d'une heure lorsque la vieille voisine ouvrit la sienne pour sortir la poubelle. Rima courut demander des nouvelles à la dame qui ne la reconnut pas. Voyant qu'elle avait un bébé dans les bras, elle la pria de rentrer un moment et lui fit un thé. Elle lui raconta qu'un après-midi de l'hiver dernier, un orage violent avait éclaté et que la foudre[155] s'était abattue sur l'école primaire, coupant l'électricité. Les cours furent interrompus et les élèves renvoyés chez eux. L'instituteur, M. Dubois, rentra alors chez lui et trouva sa femme dans les bras d'un autre homme dans son propre lit. Fou de rage, il lui sauta à la gorge et l'étrangla[156] jusqu'à la mort, pendant que l'amant prenait la fuite. Ayant déjà perdu son unique fille noyée[157] et emportée par la rivière dix ans plus tôt, l'instituteur ne se trouva plus aucune raison de vivre et se pendit[158] à un

---

154. Corbeille (n.f.): *Panier.*
155. Foudre (n.f.)*: Éclair, décharge électrique pendant un orage.*
156. Étrangler (v.): *Serrer le cou très fort.*
157. Noyée (adj.): *Morte par noyade, c'est-à-dire par arrêt de la respiration dans l'eau.*
158. Se pendre (v.): *Se tuer en se suspendant, s'accrochant par le cou.*

arbre de son jardin. On l'enterra avec sa femme dans le cimetière de la ville à côté de la tombe de leur fille. Depuis, plus personne n'approchait la maison qu'on disait hantée[159] par les fantômes de la famille maudite, et il paraissait même que pendant les longues nuits d'hiver, si on prêtait bien l'oreille, on pouvait entendre la jeune fille chanter les chansons religieuses qu'elle apprenait à l'église de son vivant. Les larmes coulèrent sur les joues de Rima comme elles l'avaient fait si souvent, et elle sentit son cœur s'enfoncer dans sa poitrine. Elle réussit à se lever, remercia la vieille dame et s'excusa de devoir repartir. Attendrie par sa beauté, ses larmes et la frimousse[160] de son bébé, cette dernière insista pour qu'elle passât la nuit chez elle, parce qu'elle n'était pas en état, et que de toute façon, il n'y avait plus de train à l'heure qu'il était. Sur les coups de minuit, pendant que la dame et son bébé dormaient paisiblement, Rima se rendit au cimetière et se coucha en sanglotant sur la tombe froide de ses parents. Elle l'embrassa puis la couvrit de ces cerises que son père aimait tant. Elle se cacha quand elle vit de loin une ombre approcher, et reconnut la silhouette droite du colonel Boblé que les années n'arrivaient pas à fléchir[161]. Il avait un coquelicot à la main et marchait d'un air solennel. Il le déposa sur une tombe devant laquelle il s'agenouilla quelques minutes, puis s'en alla, avalé par

---

159. Hanté : *Habité, visité par des fantômes.*
160. Frimousse (n.f.) : *Visage d'un enfant. (fam.)*
161. Fléchir (v.) : *Faire se courber, faire pencher.*

l'obscurité, aussi soudainement qu'il était apparu. Elle s'avança vers la tombe et lut sur la pierre le nom de Rose. Le lendemain, très tôt le matin, alors que la ville s'apprêtait à célébrer son indépendance, Rima remercia sa vieille hôtesse, mit son enfant dans la corbeille et le couvrit de baisers et d'un drap bleu ciel. Elle monta la colline et déposa la corbeille devant la porte du colonel. Elle se disait dans le train en séchant ses yeux intarissables[162], qu'il valait mieux pour son fils être élevé par un héros de guerre aussi romantique, que par une putain de cabaret.

---

162. Intarissable (adj.) : *Impossible à tarir, à arrêter.*

Chapitre Neuf

De retour à Paris, elle déménagea dans une petite chambre d'une auberge vétuste[163]. L'auberge, qui se trouvait à la porte des Lilas, sentait la sueur[164] des prolétaires[165] qui en peuplaient les chambres. Ils partaient à l'aube travailler dans les usines et revenaient le soir, les visages souillés[166]. En silence, ils se posaient dans le petit restaurant de l'auberge, fumaient leurs cigarettes roulées, et découpaient dans leurs assiettes le bœuf avec leurs couteaux de poche.

Rima s'y installa comme s'installe un mort dans sa tombe, le cœur vide et le regard éteint. Pas un jour ne passait sans qu'elle ne pensât à son bébé qu'elle avait posé sur le pas d'une porte, à son regard curieux et à ses petits doigts qui avaient serré son écharpe quand

---

163. Vétuste (adj.) : *Vieux, abîmé par le temps.*
164. Sueur (n.f.) *: Transpiration.*
165. Prolétaire (n.m.) : *Travailleur, ouvrier.*
166. Souillé (adj.) : *Sali.*

elle l'embrassait, avant de l'abandonner. Elle entendait encore les gémissements qu'il poussait lorsqu'elle avait mis par terre la corbeille et voyait toujours le mouvement de ses membres déformant le drap bleu ciel qui le recouvrait. Et quand son chagrin atteignait son sommet, elle sentait posée sur son épaule la main du colonel Boblé, et le souvenir de sa silhouette droite surgissant des ténèbres l'apaisait.

Elle erra dans le désert de l'existence, enchaînant les petits boulots de serveuse et abandonnant à jamais son rêve de chanteuse, pensant que la perte de sa chair[167] et la mort de ses rêves étaient sa propre perte et sa propre mort. Mais ne respirait-elle pas cet air, ne respirait-elle pas la vie ?

Le mouvement de ses poumons n'était-il pas un appel à l'espoir, et une victoire sur le sort qui s'acharne ? S'écoulèrent[168] ainsi quatre mois avant qu'elle ne trouve un mot de Marcel, son voisin de palier, glissé sous sa porte.

L'histoire de Marcel était connue par tous les ouvriers des usines aux alentours, et pas seulement pour les trois doigts qu'il avait perdus sur la chaîne de l'usine automobile où il travaillait depuis quarante ans. À l'époque, les doigts perdus sur les chaînes étaient

---

167. Chair (n.f.) : *Ici, son enfant.*
168. S'écouler (v.) : *Passer.*

monnaie courante[169], et si on devenait célèbre pour si peu, disaient les ouvriers dans un mélange d'ironie et d'amertume, il y aurait belle lurette[170] que les nôtres feraient les unes des journaux. Son histoire, continuaient-ils, était l'histoire d'une vie perdue.

Enfant, et parce qu'il avait volé des œufs dans le poulailler[171] du voisin, il fut enfermé par ses parents dans la cave de la maison l'espace de deux heures. C'était tout le temps qu'il fallut aux mortiers[172] allemands de la Première Guerre pour raser son village. Sorti sourd comme un pot[173] par un bataillon de l'armée française, après deux jours passés sous les décombres, il erra d'orphelinat[174] en orphelinat jusqu'à l'âge de quinze ans, jusqu'à ce qu'une main le prît et le mît dans une file d'inscription de prolétaires devant une usine automobile dans la banlieue parisienne. Il commença alors le travail à la chaîne. C'était le début des années trente.

Il passa cinq ans le dos courbé à visser les pneus noirs des voitures, dont le caoutchouc lui souillait la peau. Les gestes qu'il produisait douze heures par jour

169. Être monnaie courante (expr.) : *Arriver souvent, ne pas être rare.*
170. Il y a belle lurette (expr.) : *Il y a très longtemps.*
171. Poulailler (n.m.) : *Abri pour les poules et les volailles.*
172. Mortier (n.m.) : *Sorte de canon.*
173. Sourd comme un pot (expr.) : *Complètement sourd, il n'entend plus rien.*
174. Orphelinat (n.m.) : *Lieu où on élève les enfants qui n'ont plus de famille.*

étaient tellement simples et répétitifs qu'il eut du mal au bout de quelques mois à en faire d'autres. Mais il n'était pas le seul homme à se transformer en automate. Tous les ouvriers de l'usine finissaient eux aussi, tôt ou tard, par subir cette métamorphose. On pouvait ainsi, rien qu'à sa façon de marcher, de tenir sa bière ou de découper sa viande, dire que tel ouvrier était affecté à tel poste sur la chaîne. D'ailleurs, quand au bout de cinq ans l'usine se réorganisa, qu'il fut affecté à l'atelier de ferrage, et qu'on lui demanda de passer des tôles[175] sous une énorme scie électrique, il perdit dès sa première tentative trois doigts, crachés par la scie parmi les étincelles !

Quand il revint à l'usine quelques semaines plus tard, le patron, M. Contini, déjà en disgrâce avec les syndicats, réussit à lui dénicher[176] un poste pour prouver que son usine ne laissait pas tomber les ouvriers qu'elle mutilait[177]. Ainsi Marcel se retrouva dans une guérite[178], à l'entrée des chemins de fer de l'usine, à noter les numéros de série des trains qui approvisionnaient la chaîne.

Tous les jours pendant trente-cinq ans, il remit à la secrétaire du directeur de l'usine un rapport avec ces fameux numéros. Le monde changeait, les gens se précipitaient dans les rues pour fêter la fin de la

---

175. Tôle (n.f.) : *Plaque de métal.*
176. Dénicher (v.) : *Trouver.*
177. Mutiler (v.) : *Amputer, couper une partie du corps.*
178. Guérite (n.f.) : *Abri pour un gardien.*

Deuxième Guerre, l'Europe, la révolution sexuelle, et Marcel, lui, était toujours dans sa guérite, regardant les trains passer, depuis une mer de silence où nulle voix ne pouvait l'atteindre.

À l'aube des années soixante-dix, l'industrie automobile commençait à devenir un enjeu[179] majeur de l'économie de l'Hexagone. Le nouveau directeur de l'usine, désireux d'augmenter ses capacités de production, embaucha un jeune centralien[180] pour l'aider à définir la démarche à suivre. Le jeune centralien, Arnaud Repp, qui était un précurseur[181] en matière de stratégie et d'organisation industrielle, n'avait qu'un seul mot d'ordre. Ce n'est pas sorcier[182], disait-il, d'augmenter les capacités de production. Il suffit simplement de rationaliser les process. C'est grâce à cela que les usines américaines de Ford sortent de la chaîne une voiture tous les quarts d'heure. Le directeur, impressionné par les références de son nouvel embauché et séduit par son vocabulaire savant, lui donna carte blanche[183] pour agir.

---

179. Enjeu (n.m.): *Ce que l'on peut perdre ou gagner dans une entreprise.*
180. Centralien (n.m.): *Ingénieur diplômé de l'École Centrale (grande école).*
181. Précurseur (n.m.): *Personne qui ouvre la voie à de nouvelles idées.*
182. Ce n'est pas sorcier (expr.)*: Ce n'est pas difficile.*
183. Donner carte blanche (expr.): *Laisser l'initiative, laisser décider de la manière de faire.*

Arnaud se promena dans l'usine pendant un mois, analysant poste par poste l'ordonnancement[184] de la chaîne de fabrication, jusqu'à ce que ses pieds le conduisent à la guérite de Marcel. Il lui serra les deux doigts qui lui restaient à la main droite et lui demanda ce qu'il faisait. Marcel n'entendait rien à ce qu'il lui racontait. Arnaud écrivit alors sur un bout de papier :

« Qu'est-ce que vous faites toute la journée dans votre guérite ? »

Marcel écrivit à son tour : « Je note les numéros de série des trains et leurs heures de passage et je les envoie à la secrétaire de monsieur le directeur. »

Arnaud lui resserra les doigts et partit de suite au bureau du directeur. Sur le chemin, il se demanda à quoi bon servait de noter ces numéros de série des trains alors qu'il y avait des dossiers complets à la logistique où ils étaient notés avec les cargaisons[185] et les horaires correspondants. Quand il en parla au directeur, ce dernier lui assura qu'il n'avait jamais entendu parler de tels rapports. Il s'en alla alors voir la secrétaire, cette dernière nia[186] qu'elle les recevait. Arnaud, qui appréciait moyennement qu'on le tourne en bourrique[187], décida de pister le rapport de Marcel. Le lendemain,

---

184. Ordonnancement (n.m.) : *Organisation.*
185. Cargaison (n.f.) : *Ensemble des marchandises d'un camion ou d'un train, chargement.*
186. Nier (v.) : *Dire qu'une chose n'existe pas.*
187. Tourner en bourrique (expr.) : *Exaspérer, énerver, faire devenir fou.*

il arriva au bureau de la secrétaire en même temps que le postier du courrier interne. Il ferma alors la porte et dit : « Madame, ni vous ni moi ne sortirons d'ici tant que vous ne m'aurez pas dit ce que vous faites de ce foutu[188] rapport. » La secrétaire avoua en pleurant qu'elle le déchirait et le mettait à la poubelle. Aucun des deux directeurs qui s'étaient succédé à la tête de l'usine depuis M. Contini n'en voulait, disait-elle, et à chaque fois que j'en mettais un sur leur bureau, aussitôt ils m'envoyaient bouler[189].

Arnaud la remercia et sortit de son bureau interloqué[190]. M. Contini avait quitté l'usine en 45. Depuis plus de trente-cinq ans, cette bonne femme mettait à la poubelle ce que notait Marcel dans sa guérite. Depuis plus de trente-cinq ans, cet homme ne servait à rien ! Mais qui lui avait demandé ces rapports ? Et pourquoi ??

Il ne fallait pas compter sur Arnaud Repp pour lâcher le morceau[191]. Après une semaine d'investigation dans l'humidité des sous-sols, le nez dans les archives, il finit par comprendre le pourquoi et le comment. En effet, lors de l'occupation allemande, les nazis avaient exigé de Contini un rapport sur les trains à l'entrée de l'usine qu'ils confrontaient par la suite aux contrôles de

188. Foutu (adj.) : *Satané, maudit. (fam.)*
189. Envoyer bouler (expr.) : *Repousser, rejeter, répondre sèchement. (fam.)*
190. Interloqué (adj.) : *Surpris.*
191. Lâcher le morceau (expr.) : *Laisser tomber, abandonner.*

leurs agents dans le service logistique, et s'assuraient ainsi qu'il n'y avait ni trains clandestins[192] ni pièces hors inventaire[193] qui serviraient à une quelconque fabrication d'armes ou d'outils pour la Résistance. Depuis trente-cinq ans, la guerre était finie, les nazis chassés, Contini remplacé à la tête de l'usine, et Marcel envoyait toujours ses rapports d'entrée de l'usine. Trente-cinq ans, une vie! disait Arnaud Repp en serrant les lèvres et en secouant lentement la tête.

Le directeur de l'usine décora[194] Marcel et l'envoya en préretraite avec les honneurs, les trois ans de salaire qui lui restaient et trois ans de salaire de plus pour dédommagement[195] moral. C'est ainsi que parfois l'argent sert à s'acheter une conscience. Toujours plongé dans sa surdité profonde, Marcel n'entendit même pas sa propre histoire, et partit de l'usine sans chercher à comprendre. Peut-on encore comprendre le pourquoi des choses quand on a vu, enfant, des tirs de mortier tomber du ciel?

Mais croire que la vie de Marcel était une vie perdue, dénuée de sens, c'était sous-estimer l'harmonie

---

192. Clandestin (adj.) : *Secret, illégal.*
193. Hors inventaire : *Qui n'ont pas été notées sur les listes de pièces fabriquées.*
194. Décorer (v.) : *Ici, donner une décoration, c'est-à-dire une récompense symbolique (médaille, etc.).*
195. Dédommagement (n.m.) : *Indemnité, pour compenser un dommage (quelque chose qui fait du tort).*

et l'unité secrète de ce monde où chaque être a sa place. Pourquoi le bon Allah a-t-il créé les mouches ? blasphéma en son temps un khalife sanguinaire[196] de la dynastie des Omeyyades[197], irrité par les attaques incessantes d'une mouche insolente, alors qu'il était allongé dans son palais par une douce nuit d'été. La mouche, habile et audacieuse, ne lui épargnait ni narine, ni oreille, ni orteil. Il finit par convoquer son plus grand savant. Les gardes l'arrachèrent à son télescope et à ses œuvres d'astronomie pour le balancer devant le khalife. Ce dernier, l'œil rouge de colère, lui dit : « Toi, qui prétends savoir tout sur tout, dis-moi, si tu veux garder ta tête sur tes épaules : Pourquoi Allah a-t-il créé les mouches ? » Le savant, qui d'ailleurs ne prétendait rien sur rien, remarqua la mouche qui se posait sans cesse sur la tête du khalife et se moquait éperdument de ses gesticulations grossières. Il répondit lentement : « Mon khalife, Allah a créé les mouches pour humilier les tyrans ! »

Cette unité secrète du monde, où chaque être, même le plus misérable et le plus impuissant a son rôle, mit la chambre de Rima en face de celle de Marcel. Ils se croisèrent tous les soirs pendant un an. Marcel l'appelait sa fille et elle l'appelait Marcel. Il lui souhaitait une bonne nuit avec plein de beaux rêves, et elle

---

196. Sanguinaire (adj.) : *Cruel.*
197. Dynastie des Omeyyades : *Dynastie de khalifes sunnites qui gouvernèrent le monde musulman de 661 à 750.*

lui répondait d'un sourire qui l'enlevait à la dure réalité pendant un bref moment. Un soir, Rima ne croisa pas Marcel mais trouva un mot de lui sous sa porte :

« Ma fille,

J'ai quitté l'usine ce matin avec quelques sous[198]. J'ai acheté un fonds de commerce pour en faire un magasin de fleurs. Mais j'ai si peu d'ouïe[199] pour entendre les demandes des clients, et si peu de doigts pour faire leurs bouquets. Veux-tu venir travailler avec moi ? »

C'est ainsi que Rima devint la fleuriste de la porte des Lilas. Et quand, quelques années plus tard, Marcel rejoignit son village dans l'autre monde en lui léguant[200] le magasin, son passage terrestre prit toute sa mesure et son ampleur. En effet, Marcel ne lui avait pas seulement légué un bien matériel, il avait aussi préparé le terrain à l'extraordinaire, une porte par laquelle le hasard maître des dés allait livrer son coup de maître[201].

---

198. Sou (n.m.) : *Argent.*
199. Ouïe (n.f.) : *Sens qui permet d'entendre, capacité à entendre les sons.*
200. Léguer (v.) : *Laisser en héritage, donner par testament.*
201. Un coup de maître (expr.) : *Grande réussite, exploit.*

Chapitre Dix

Une semaine plus tard, Christian rappela. Cette fois, la secrétaire lui fixa rendez-vous pour le lendemain matin. Il finit le soir son livre de poche et se coucha de bonne humeur, sentant qu'il allait enfin entamer[202] la dernière ligne droite de ses travaux de recherche. Il se réveilla tôt, ouvrit grand sa fenêtre, sourit au soleil qui bâillait encore dans le ciel. Il prit sa douche, quelques fruits et son dossier rempli de feuilles de calcul qu'il avait préparé la veille et fila. Il arriva en avance de dix minutes à son rendez-vous, et attendit patiemment devant le bureau. À 10 heures précises, il frappa à la porte.

« Entrez ! »

Christian poussa la porte et vit de profil la jeune femme qui tapait sur le clavier de son PC, la tête complètement tournée vers l'écran.

« Asseyez-vous, je suis à vous dans une seconde », dit-elle.

---

202. Entamer (v.) : *Commencer.*

Christian s'assit et posa le dossier sur ses genoux. Il jeta un coup d'œil rapide sur l'espace de la pièce comme s'il cherchait à se l'approprier et constata son organisation impeccable. Il eut un petit sourire en pensant que cette mathématicienne aurait sûrement un infarctus[203] instantané si elle pénétrait par malheur la pièce aux livres de poche de son appartement. Elle appuya sur la touche « Entrée » de son clavier, et se tourna vers Christian la main tendue en disant : « Excusez-moi, il fallait que je finisse ce truc.

— Il n'y a pas de mal », répondit Christian en lui serrant la main.

Marie sentit sa main trembler dans celle de Christian qui la regardait droit dans les yeux et son cœur surpris commença à valser dans sa poitrine. Elle se domina en se disant : « Ça alors ! » Quand sa secrétaire lui avait annoncé qu'un des thésards[204] du professeur Durand voulait prendre rendez-vous, elle lui avait rétorqué[205] qu'il fallait qu'il rappelle parce que sa semaine était chargée, vu qu'elle passait ses matinées dans le café d'en face en espérant le croiser ! Elle retira rapidement sa main comme si elle venait de toucher l'inconnu pour la première fois, et un sourire se dessina sur son visage devant l'œil curieux de Christian.

---

203. Infarctus (n.m.) : *Crise cardiaque, arrêt du cœur.*
204. Thésard (n.m.) : *Étudiant en thèse, en doctorat. (fam.)*
205. Rétorquer (v.) : *Répliquer, répondre.*

«Vous me paraissez étonné. C'est mon âge qui vous interpelle?

— Non. Enfin, si», sourit-il embarrassé comme il avait fait la dernière fois qu'elle l'avait vu, il y a onze ans déjà.

Elle continua dans la même bonne humeur:

«Ne vous inquiétez pas, je pense être assez compétente pour vous sortir de votre impasse[206], de plus Louis m'a dit beaucoup de bien à votre sujet, alors je vais essayer de ne pas vous laisser au point mort[207] plus longtemps.» Puis son visage devint sérieux et elle ajouta: «Parlez-moi un peu de votre thèse, que je sache dans quoi je m'embarque.»

Christian se redressa sur sa chaise.

«En fait, ça ressemble un peu à de la science-fiction. En 1929, Hubble, dans son observatoire californien, constata que la lumière en provenance des étoiles virait vers le rouge, ce qui est propre à un rayon de lumière qui s'éloigne de son point d'observation. Il en conclut alors l'une des plus grandes découvertes de l'astronomie: l'expansion de l'univers. Mais ce qui est curieux dans l'histoire, c'est que les masses de matière s'attirent selon la loi de gravitation universelle, et donc normalement, au lieu de s'étendre infiniment, l'univers devrait se rétrécir et se condenser jusqu'à en arriver à

---

206. Impasse (n.f.): *Situation sans issue, où l'on est coincé.*
207. Au point mort (expr.): *Coincé, sans pouvoir avancer.*

un point de masse infini. La force responsable de cette expansion est alors une force qui a les mêmes caractéristiques que la force d'attraction de la matière, mais opère[208] dans le sens opposé. Ça ne peut être alors que les forces d'attraction de... l'antimatière!»

Il continua en regardant Marie avec ses yeux brillants à moitié fermés: «Pendant que Hubble observait ses galaxies, Dirac résolvait[209] ses équations fondamentales de la mécanique quantique et constatait que pour chaque particule solution qu'il trouvait, il existait une particule solution symétrique, de même masse mais de charge électrique opposée. Contrairement aux particules solutions, qui sont les composants habituels de la matière, aucune des particules solutions symétriques n'a pu être détectée[210] dans la nature. Ce sont donc les composants d'une autre matière inconnue jusqu'alors: l'antimatière. On les appela les antiparticules. Quelques antiparticules ont été observées, et le Cern[211] a même réussi à créer dans ses laboratoires une molécule d'anti-hydrogène. Quand l'antimatière rencontre la matière (et il tapa son poing droit contre la paume de sa main gauche), leurs masses se convertissent instantanément et totalement en énergie pure, en quantité beaucoup plus grande que celle dégagée par les réactions nucléaires,

---

208. Opérer (v.): *Ici, agir.*
209. Résoudre (v.): *Trouver la solution.*
210. Détecter (v.): *Repérer, découvrir.*
211. CERN: *Centre européen de recherche nucléaire.*

et qui ont en plus l'énorme avantage de se faire sans la moindre radiation ni déchet[212]. »

Il se tut quelques secondes et reprit : « Le problème de l'antimatière, c'est que sa production est très coûteuse et très difficile. La quantité qu'on a pu produire jusqu'à maintenant ne remplirait pas une cuillère à sucre, et l'énergie dépensée à en fabriquer est beaucoup plus grande que celle récupérée par la suite. De plus, elle est très instable vu que le moindre contact avec la matière, qui constitue notre monde, la fait disparaître. Le rêve d'une énergie propre et inépuisable est encore loin, et je pense que la terre ne nous survivra pas assez longtemps pour voir se trimbaler[213] au-dessus d'elle des voitures à l'antimatière. Mais bon, voilà, les dés sont jetés, et il faut que je continue à poursuivre le mirage[214] (il sourit). C'est mon fardeau[215], en quelque sorte. Cela fait des années que je travaille dessus : un moyen qui stabiliserait plus longtemps l'antimatière et qui enlèverait le caractère spontané de son annihilation[216] avec la matière. Ce temps de stabilisation est la solution de l'équation intégrale que je n'arrive pas à résoudre, et c'est pour cette raison que je suis venu vous voir.

— Je ferai de mon mieux pour vous aider.

---

212. Déchet (n.m.) : *Reste d'un matériau et dont on n'a pas besoin.*
213. Se trimbaler (v.) : *Se promener, se déplacer. (fam.)*
214. Mirage (n.m.) : *Illusion, chimère.*
215. Fardeau (n.m.) : *Charge, poids qu'il faut porter.*
216. Annihilation (n.f.) : *Destruction, anéantissement.*

— Je vous en serais reconnaissant à vie. » Il lui tendit le dossier : « Voilà mon nœud de Gordias[217]. »

Marie ouvrit le dossier, y plongea les yeux et déroula ses pages pendant quelques minutes tandis que Christian la regardait en expliquant :

« J'ai essayé toutes les méthodes que je connaissais mais elles me ramènent toutes à la même impasse, la même équation. J'ai essayé de la programmer dans un logiciel[218] de mathématiques sur mon PC, mais son micro-processeur a tellement tourné qu'il en a fini en cendres[219], et j'ai peur que mon cerveau ne connaisse le même sort. »

Elle dit sans décoller les yeux des pages : « Ça fait combien de temps que vous êtes dessus ?

— Six semaines. »

Elle ferma le dossier et annonça sérieusement :

« Je ne sais pas combien de temps exactement cela prendra, mais je vous donnerai des nouvelles d'ici une semaine.

— Merci énormément. »

Puis il hésita plusieurs secondes comme s'il était sur le point de dire quelque chose et finit par se lever. Marie se leva à son tour et le raccompagna à la porte. Il se tourna subitement alors qu'elle s'apprêtait à fermer

---

217. Nœud de Gordias (expr.) : *Problème impossible à résoudre, difficulté insurmontable.*
218. Logiciel (n.m.) : *Programme informatique.*
219. Cendre (n.f.) : *Ce qui reste quand quelque chose a brûlé.*

la porte derrière lui et demanda : « N'étiez-vous pas au lycée de la colline ? »

Marie sentit tout le sang de son corps lui monter aux joues et son cœur reprit sa valse fiévreuse. Il l'avait reconnue !

« Oui, en effet.

— Vous êtes libre ce soir ? »

Elle murmura : « Pardon ?

— Vous êtes libre ce soir pour boire un verre ? insista Christian.

— Pourquoi… »

Il la coupa en la regardant droit dans les yeux :

« Si vous acceptez mon invitation, je vous dirai le titre du livre que je lisais dans la cour il y a de ça onze ans. »

Son cœur était au bord de l'arrêt quand elle murmura entre ses lèvres d'une voix à peine audible : « Je voulais dire pourquoi pas. »

Chapitre Onze

Quelques mois après la théorie christianesque sur l'ébullition de l'espèce humaine, la ville connut son hiver le plus dur depuis un siècle. La main blanche de la neige, qui avait commencé par enterrer les coquelicots de la colline, finit par couper toutes les routes qui menaient à la ville et cassa comme des allumettes[220] les lignes téléphoniques qui n'en pouvaient plus de rétrécir. Le vent soufflait du nord, gelant sur son passage l'eau et les hommes, et le jour n'arrivait plus à se lever, vaincu par la nuit glaciale. La ville était plongée dans le froid et l'obscurité comme si elle avait été projetée par la main du Tout-Puissant dans un hiver polaire. Les gens dormaient, et au réveil allumaient leurs télés et leurs radios pour savoir si l'heure était une heure de la journée ou de la nuit. Mais quand une tempête violente eut abattu la

---

220. Allumette (n.f.) : *Petite tige de bois dont on frotte l'extrémité pour faire une flamme.*

grande antenne[221] de la radio télé, les habitants perdirent au bout de deux jours tout repère temporel, et la ville fut gagnée par un désordre des plus complets. Ainsi, les élèves qui partaient à l'école à 7 heures croyant que c'était 7 heures du matin, croisaient sur leur route les ouvriers de l'usine de confiture, qui rentraient chez eux convaincus qu'il était 7 heures du soir. Et quand le chef du restaurant de la grande place préparait pour le dîner son fameux confit de canard, le bistro d'en face servait les croissants chauds et le café du petit déjeuner.

Les rares personnes ayant au poignet des montres digitales qui incrémentaient[222] l'heure au-delà de douze, partirent en croisades temporelles et essayèrent de mettre fin à la confusion générale. Mais malgré toute leur bonne volonté et la pertinence de leurs arguments, ils n'arrivèrent pas à persuader le reste de la population, et on les accusa de vouloir s'emparer du monopole du temps dans le but de contrôler la ville. Ils furent cloî-trés[223] par le préfet qui refusait de dormir pour garder sa lucidité[224] temporelle et qui, au bout d'une dizaine de jours, les yeux violets de cernes[225], perdit la tête sous

---

221. Antenne (n.f.) : *Structure généralement en métal qui envoie et reçoit des ondes.*
222. Incrémenter (v.) : *Augmenter d'une quantité donnée (vocabulaire informatique).*
223. Cloîtré (adj.) : *Enfermé.*
224. Lucidité (n.f.) : *Bon sens, clairvoyance, raison.*
225. Cerne (n.f.) : *Cercle bleu-violet autour des yeux quand on est très fatigué.*

l'assaut des hallucinations. Le père Jacques célébrait avec ses fidèles la messe du dimanche sans même savoir quel jour il était, et Lévy, le vieux Juif du quartier des orfèvres, prenait les paris et élargissait la fortune de ses héritiers. On pouvait miser[226] cent francs qu'on était toujours au mois de décembre et la cote[227] du mois de janvier était estimée à trois contre un. Christian trouva dans ce désordre cocasse[228] toute la liberté qu'il connaissait avant d'aller au lycée. Il inventait des noms pour les jours qui n'en étaient pas un, redéfinissait le temps à sa guise, et inconsciemment cette dimension imaginaire le rassurait parce que les signes de la vieillesse n'y existaient pas. Pourtant, de tous les habitants devenus à moitié fous, seul le colonel Boblé gardait intacte sa raison temporelle, parce que contrairement aux autres, il n'était pas en train de compter les jours de sa vie, mais de les décompter[229].

Un soir, ou un matin, seuls le Créateur et ceux qui avaient des montres digitales aux poignets le savent, alors que le bois craquait dans la cheminée, il appela Christian. Quand le garçon entra dans le salon, il trouva son père assis sur sa vieille chaise longue, et il avait à ses pieds une corbeille et un drap bleu ciel.

---

226. Miser (v.) : *Parier de l'argent.*
227. Cote (n.f.) : *Valeur estimée.*
228. Cocasse (adj.) : *Drôle, comique.*
229. Décompter (v.) : *Compter à l'envers, en enlevant des jours (il compte les jours qui restent avant sa mort).*

«Assieds-toi», fit-il.

Christian prit place en face de lui, et sentit en regardant les yeux de son père que l'atmosphère était chargée d'une gravité inexpliquée. Après de longues minutes de silence, le colonel soupira :

«Écoute mon fils.» Il respira profondément et continua : «Te dire ce que je vais te dire est de toute ma vie la chose la plus dure qu'il m'ait été donné de faire, mais je te dois la vérité avant que cet hiver interminable ne l'enterre dans ma poitrine… Je ne suis pas ton père, Christian.»

Christian demeura silencieux et remarqua que ses mains étaient en train de trembler. Il remarqua aussi la petite toile d'araignée dans un coin du plafond et se demanda si les murs étaient toujours de cette couleur. Le colonel le fixa longuement et dit d'une voix chargée d'affection :

«Quand je t'ai vu pour la première fois, il y a quatorze ans, tu étais devant ma porte, enveloppé de ce drap, dans cette corbeille. Tu devais avoir cinq mois, tu avais les cheveux décoiffés et le regard curieux, et quand je t'ai porté (il ferma les yeux et eut un petit sourire), j'ai senti que c'était moi le bébé et toi le colonel. J'ai décidé de te garder, de te donner mon nom, de t'élever comme un fils. Avant que le destin ne te mette à ma porte, cette maison était le quai de la gare du train funeste[230], et je

---

230. Funeste (adj.) : *Qui apporte la mort.*

l'y attendais en me demandant chaque jour pourquoi il était si en retard. Mais en te trouvant dans cette corbeille, j'ai compris pourquoi les balles qui abattaient même les hirondelles[231] ont épargné ma tête.»

Christian se leva. Ses mains ne tremblaient plus, mais ses yeux étaient humides. Il s'agenouilla[232] devant le colonel, lui embrassa les mains et dit: «Tu as raison, tu n'es pas mon père, tu es tellement plus que ça.»

Quelques heures plus tard, alors que Christian se levait pour la première fois dans son sommeil, l'ange de la mort, conducteur du train funeste, s'arrêta au sommet de la colline. Le colonel Boblé monta, et contrairement à ce qu'il avait toujours cru, les wagons étaient chauffés et il n'était pas l'unique passager. Le lendemain, le soleil réussissait enfin à dissiper l'obscurité épaisse de la nuit. Les coquelicots montrèrent le bout de leurs têtes et le drap blanc de la neige fondante semblait taché par de minuscules gouttes de sang. Christian découvrit le corps sans vie de son père, mais le sourire heureux qu'il avait au visage l'empêcha de pleurer. La mort n'était peut-être pas un tel calvaire[233]. Il marcha jusqu'au cimetière, la ville entière derrière lui, et l'enterra à côté de la tombe de Rose comme il l'avait souhaité. Les routes étaient redevenues enfin praticables[234] et les premières

---

231. Hirondelle (n.f.): *Oiseau.*
232. S'agenouiller (v.): *Se mettre à genoux.*
233. Calvaire (n.m.): *Souffrance morale, épreuve difficile.*
234. Praticable (adj.): *Où on peut passer.*

personnes à les emprunter ramenaient les nouvelles fraîches du monde. Il était toujours décembre, le mur de Berlin, où cent ans plus tôt les maîtres du monde se partagèrent l'Afrique, avait chuté jusqu'à la dernière pierre. Une cinquantaine de baleines et de dauphins, désorientés par les sonars des pétroliers, échouèrent sur les plages de l'Australie, et Valérie Fichue, actrice de renom, divorçait pour la septième fois en cinq ans. L'histoire continuait de s'écrire, alors que dans la ville du colonel Boblé, le temps s'était arrêté, le temps de l'emmener au-delà des mirages.

Chapitre Douze

Le colonel Boblé légua à Christian la grande maison, trente mille livres de poche, quatre revolvers, trois fusils, six couteaux à dents, un phonographe de l'avant-guerre, cent soixante-treize vinyles[235] et cinq cent mille francs. Avant de mourir, il avait chargé son avocat de placer l'argent et de donner chaque mois à Christian quatre mille francs jusqu'à sa majorité. L'habile avocat, maître Renault, honnête homme, qui avait de surcroît[236] pour le colonel la plus grande estime, acheta avec l'argent deux appartements à Paris qu'il loua. Il versait ainsi à Christian les quatre milles francs de rente[237], et bloquait le reste dans un compte en banque. Christian, qui ne supportait plus de vivre

---

235. Vinyle (n.m.) : *Ici, disque en vinyle sur lequel est enregistrée de la musique.*
236. De surcroît (loc. adv.) : *Par ailleurs, en plus.*
237. Rente (n.f.) : *Argent, revenu que rapporte un bien que l'on possède.*

seul au sommet de la colline, décida de partir juste après son bac qu'il devait passer au mois de juin de la même année. Il projeta d'aller à Paris pour y suivre des études supérieures de physique et poursuivre son rêve de sauveur de l'humanité. Au mois de septembre, le bac en poche et avec l'accord de son avocat, il emmena son héritage et s'installa dans l'un de ses appartements.

Même la folie de Paris ne l'extirpa[238] pas de ses rêves, et les lumières de ses artifices ne réussirent pas à séduire ses yeux à jamais clos à moitié. Il n'avait que seize ans, mais sa nature taciturne[239] et son corps avide[240] de jeunesse qui devançait le temps, laissaient croire qu'il avait au moins la vingtaine. Agacé[241] par les fourmilières humaines qui expulsaient à la surface de la terre et avalaient dans ses entrailles urbaines[242] sans relâche[243] les corps animés de la foule, il décida de marcher tous les jours la petite heure qui séparait son appartement montparnassien[244] de la faculté de Jussieu. Il arrivait les mains dans les poches et un sourire timide au coin de la bouche, et s'isolait au coin de la classe, là

---

238. Extirper (v.) : *Faire sortir.*
239. Taciturne (adj.) : *Qui parle peu, introverti.*
240. Avide (adj.) : *Qui désire fortement.*
241. Agacé (part. passé) : *Énervé.*
242. Entrailles urbaines : *Intérieur de la ville, ici le métro.*
243. Sans relâche (loc.) : *Sans pause, sans s'arrêter.*
244. Montparnassien (néologisme) : *Du quartier de la gare Montparnasse à Paris.*

où les regards curieux avaient du mal à l'atteindre. Il ne prenait jamais de note, sa mémoire, qui berçait dans la chaleur de son esprit les personnages des centaines de livres qu'il avait lus, n'avait aucune peine à enregistrer même les molécules à cinquante atomes que l'illustre professeur Louis Durand mettait un quart d'heure à transcrire au tableau avec de la craie blanche. Son regard songeur[245], ses cheveux décoiffés, et les livres de poche qui roupillaient[246] paisiblement dans la poche arrière de ses jeans délavés intriguaient les garçons et faisaient fondre le cœur des filles. Il devint sans le savoir et sans le vouloir, la vedette[247] des amphis[248] d'algèbre, de physique quantique et de chimie organique. Et le soir il rentrait chez lui, posait soigneusement un vinyle sur la platine du phonographe, et pendant que la musique emplissait l'espace de l'appartement, il travaillait ses cours et allait loin au-delà des programmes universitaires, trop maigres devant sa soif et sa curiosité scientifique. Après, allongé sur son lit, il basculait d'un monde animé par des molécules et des nombres vers un monde peuplé de personnages romanesques et de destins croisés. Et le lendemain matin, alors qu'il s'endormait dans son lit avec son livre de poche, il se réveillait, enveloppé de sa couette, dans la pièce où s'entassaient

---

245. Songeur (adj.): *Rêveur, pensif.*
246. Roupiller (v.): *Dormir. (fam.)*
247. Vedette (n.f.): *Célébrité, star.*
248. Amphi (n.m.): *Abréviation du mot «amphithéâtre».*

les trente mille! Il n'y trouva qu'une seule explication:
il était somnambule[249]. Voulant en avoir le cœur net[250],
il répandit de la farine au pied de son lit et sur le trajet
de dix pas qui séparait sa chambre de celle de ses livres,
et le matin, debout devant la chambre des bouquins, il
constata, abasourdi, que la nappe de farine était vierge
de toute trace. Il remonta sept nuits de suite le piège
qu'il se tendait à lui-même, et sept matins de suite il se
gratta la tête, déconcerté devant le prodige. Sceptique à
propos de quelques articles qui rapportaient des témoi-
gnages de villageois indiens dont la contrée[251] était
le théâtre d'innombrables scènes de téléportations[252]
humaines, il finit par accepter son destin de se réveiller
entre les livres et abandonna sa traque[253], convaincu
que la farine qu'il gaspillait sur son parquet manquait
certainement à quelques bouches quelque part.

Quand il finit major de sa promotion et de loin
deux semestres de suite, le professeur Durand rejoignit à
son tour la foule des curieux. Il enleva ses lunettes pour
regarder de ses petits yeux bleus le dossier administratif
de Christian, et découvrit qu'il n'avait vu défiler que
seize printemps. Il le ferma et rechaussa ses lunettes

---

249. Somnambule (adj.): *Personne qui marche, agit pendant son sommeil.*
250. En avoir le cœur net (expr.): *En être sûr, ne plus douter.*
251. Contrée (n.f.): *Pays, région.*
252. Téléportation (n.f.): *Transport immatériel à distance.*
253. Traque (n.f.): *Poursuite.*

en se disant que si ce garçon ne s'égarait[254] pas dans la grisaille, le monde entendrait parler de lui.

Et Christian ne s'égara pas dans la grisaille. Il sentait posé sur lui, depuis l'horizon de l'existence, le regard attentionné du colonel Boblé et ne voulait en aucun cas, risquer d'ôter de ses lèvres le sourire qui l'avait accompagné au-dessus des nuages. Il continuait à se réveiller entre les livres et à observer le monde de son piédestal[255] comme s'il était toujours dans les hauteurs de la colline aux coquelicots. Peu de temps après, les maîtres du monde se mobilisèrent comme jamais pour libérer le pétrole koweïtien de l'invasion irakienne, pour rendre au monde une justice qui se quantifie au baril de brut[256], alors que les enfants de Sierra Leone et du Liberia, armés jusqu'aux dents de lait, périssaient dans la rage des guerres civiles, et que le tonnerre du conflit ethnique grondait dans les Balkans. Un vent sulfureux[257] balayait la surface de la terre, et le froid de la Sibérie glaçait jusqu'à l'éclat l'âme du bloc soviétique. Le monde s'apprêtait à être tiré par sa nouvelle locomotive, et certaines locomotives foncent droit dans les récifs[258].

---

254. S'égarer (v.) : *Se perdre.*
255. Piédestal (n.m.) : *Support assez élevé.*
256. Une justice qui se quantifie au baril de brut : *Une justice qui se mesure en tonneaux de pétrole.*
257. Sulfureux (adj.) : *Qui sent le souffre, qui évoque le diable.*
258. Récif (n.m.) : *Rocher.*

Chapitre Treize

Ils se donnèrent rendez-vous dans un petit bar cubain à Saint-Michel, pas loin de la cathédrale où autrefois le bossu[259] faisait sonner les cloches. Dans les profondeurs abyssales[260] de ses yeux bleus, il trouva un regard depuis onze ans enterré dans sa mémoire comme un trésor dans une île de pirates. Il se rappelait cet instant, clair et diaphane[261]. Il était, comme à son habitude à l'époque, assis sur le vieux banc en bois qui causait de tout et de n'importe quoi avec l'arbre qui vieillissait à ses côtés. Le tohu-bohu[262] de la cour n'atteignait pas ses oreilles, à l'écoute d'un monde plus subtil. Il avait sorti de sa poche un recueil de poèmes arabes et persans, et ses doigts qui le feuilletaient l'avaient ouvert à une page

---

259. Bossu (n. m.) : *Personne qui a le dos tordu, avec une bosse. Ici, référence au personnage de Quasimodo dans le roman de Victor Hugo,* Notre-Dame de Paris.

260. Abyssal (adj.) : *Profond, insondable.*

261. Diaphane (adj.) : *Qui laisse passer la lumière sans être complètement transparent.*

262. Tohu-bohu (n.m.) : *Désordre, bruit, agitation.*

inconnue. Ses yeux s'étaient arrêtés sur un poème de Hafez Shirazi, écrit six siècles auparavant. Il lit :

«Ô perroquet !.. Conteur de charades[263] !..
Garde à jamais l'éclat de tes plumes couleur
d'émeraude,
Et ton cœur frivole débordant de joie !..
Ô Chance !.. Verse sur nos visages l'eau de rose
Et ne confie point au sobre[264] les secrets de la
jouissance !..
Oui, la sagesse est le vrai trésor...
Mais combien vaut-elle, devant un regard
d'amour ?!.. »

Les six siècles s'effondrèrent tel un château de cartes, comme si les mots venaient à l'instant d'être inventés. Il sentait son cœur palpiter dans un océan de piété[265], comme s'il découvrait d'un coup la vérité de Dieu. Ces mots étaient d'une justesse !

Sentant une présence, il leva les yeux. Il vit ceux de Marie, le regard bleu de l'amour, celui-là même qui vaut plus que la sagesse. Paniqué par la rencontre inattendue avec ce vagabond des grands chemins[266], il ferma rapidement son bouquin, fit à Marie un sourire

---

263. Charade (n.f.) : *Devinette.*
264. Sobre (n.m.) : *Celui qui est modéré, qui boit peu, mange peu.*
265. Piété (n.f.) : *Amour, respect religieux.*
266. Vagabond des grands chemins : *Promeneur, voyageur sans but, errant. Ici, l'amour.*

embarrassé et se sauva, avant qu'il ne rentre lui-même dans la dangereuse et fatale phase d'ébullition humaine.

Le soir à la maison, il mangea à peine et se mit à côté de la cheminée. Le colonel Boblé, qui avait remarqué que son fils rêvassait devant ses petits pois, eut un sourire en voyant le recueil[267] entre ses mains. Christian fixait des yeux le même poème. Secrets, cœur, eau, trésor… Comment les locataires volants, fuyant du monde des mots, peuvent-ils ainsi être invoqués et assemblés pour ébranler[268] les âmes ? Il repensa longuement au regard bleu de l'amour. Oui, c'est dans un tel regard que la magie les mêle, c'est dans un tel regard que naît l'alchimie des mots.

Le lendemain, il chercha des yeux Marie dans la cour, mais ne la vit pas. Au bout d'une dizaine de jours, il perdit patience et se mêla à la foule pour pêcher[269] des nouvelles, et pour la première fois de sa vie de lycéen, il laissa traîner ses oreilles dans les couloirs surpeuplés et finit par entendre que Marie, atteinte d'une maladie incurable[270], était partie à Paris dans une tentative désespérée de se soigner. Le cœur amer, il rangea Hafez dans l'immense bibliothèque et se consacra à ses

267. Recueil (n.m.) : *Livre qui rassemble plusieurs textes (ici, des poèmes).*
268. Ébranler (v.) : *Agiter, faire trembler, rendre moins stable, moins ferme.*
269. Pêcher (v.) : *Prendre, essayer de prendre (en général un poisson, ici des nouvelles).*
270. Incurable (adj.) : *Impossible à guérir.*

théories thermodynamiques. Depuis, l'amour était pour lui une maladie incurable au regard bleu azur.

Mais revoilà l'amour en face de lui, revoilà le vagabond des grands chemins, revoilà les yeux bleu azur. Il avait passé toute son après-midi à essayer de comprendre le sens de ce hasard. Il se moquait même de lui-même et riait de ses pensées dans le va-et-vient[271] dans lequel ses pieds l'avaient embarqué sans même qu'il s'en fût rendu compte. Était-ce vraiment l'amour qu'il était en train de retrouver ? Il ne connaissait de Marie qu'un regard vieux de onze ans, l'amour peut-il être juste un regard ? Et cette nouvelle équation lui sembla encore plus compliquée que celle qui bloquait sa thèse.

Arrivé sous la douche, l'eau mouillait ses cheveux, ruisselait sur son corps et redéfinissait l'espace qu'il occupait dans le monde. Oui, répéta-t-il fermement, l'amour peut être un regard. L'amour le plus pur est un regard qui naît avant les mots, qui se fiche de l'histoire, et qui se moque des contraintes. Il pensa à Reed, un marin soldat qui vivait dans un bouquin dans la chambre d'à côté. Reed était beau comme un dieu grec, et dans sa poitrine virile[272] palpitait un cœur assoiffé de liberté. Lors d'une escale sur une île du pacifique, Reed fuit bateau et équipage. Il se cherchait une cachette quand, d'une cabane au bord

---

271. Va-et-vient (n.m.) : *Mouvement dans un sens et puis dans l'autre, allées et venues.*
272. Viril (adj.) : *Masculin.*

d'une plage, sortit une jeune femme plus belle que ce que peuvent supporter les mots. Elle était mate[273] comme un coucher de soleil, ses cheveux noirs comme la nuit, son corps enveloppé d'un paréo tissé dans des feuillages parfumés. Elle le regarda, sans parler, et dans ses yeux, il vit l'amour. Oui, répéta fermement Christian, l'amour est un regard, l'amour est un regard. Avant de sortir, il fit une escale[274] dans la chambre aux livres, en saisit un et le dépoussiéra en le caressant tendrement avec la paume de sa main. Il l'ouvrit et s'arrêta sur l'une des pages. Il sourit, le rangea dans la poche arrière de son jean délavé.

Quant à Marie, elle passa son après-midi devant les papiers de Christian sans pour autant réfléchir à ce qu'ils contenaient. Elle contemplait son écriture, et essaya de décrypter[275] les traits de caractères qui se cachaient derrière les « O » épanouis, les « M » bien droits et les « F » qui se tenaient de travers. Elle leva les papiers pour en sentir l'odeur, et en souriant les reposa aussitôt, consciente de son ridicule. Les papiers avaient l'odeur du papier, et elle n'avait aucune notion de graphologie. Était-elle redevenue l'adolescente d'autrefois ?

Sentant l'ombre du destin capricieux et de ses dés biaisés[276] rôder dans le coin, elle décida de le chasser

---

273. Mat (adj.) : *Foncé, qui ne brille pas.*
274. Escale (n.f.) : *Pause, étape.*
275. Décrypter (v.) : *Déchiffrer, deviner le sens caché.*
276. Biaisé (adj.) : *Faussé, trompeur.*

avec son déterminisme scientifique. Elle sortit un papier et commença à écrire des formules statistiques et des combinaisons probabilistes, pour démontrer qu'ils devaient finir par converger[277], ces chemins qui, onze ans plus tôt, avaient divergé[278]. Mais elle abandonna rapidement son entreprise irréaliste. Le nombre de paramètres nécessaires à calculer les chances qu'ont deux personnes de se recroiser est infini, bien au-delà de son cerveau brillant. Cette fois encore, il fallait laisser faire le destin.

Elle quitta le laboratoire vers 19 heures. Elle rentra chez elle, porte des Lilas, se fit un thé et s'installa dans son salon. Elle regarda pour la énième[279] fois, avec autant de fascination que la première, les tableaux accrochés à son mur. Des toiles surréalistes d'un peintre tchèque où la violence de la rébellion se mêlait à l'amertume de la résignation[280]. Est-ce l'issue[281] de toutes les batailles contre le destin ? Elle voyait dans ses tableaux la grande silhouette du Haj Souleymane, et quand le pinceau s'adoucissait et s'apaisait subitement dans quelques touches éphémères, elle voyait dans la quantité incroyable d'amour qu'elles dégageaient, les yeux à moitié clos de Christian. L'heure approchant,

---

277. Converger (v.) : *Avoir la même direction, se diriger vers le même point.*
278. Diverger (v.) : *S'écarter de plus en plus, s'éloigner.*
279. Énième (adj.) : *Nombre indéterminé (sur le modèle « deuxième »).*
280. Résignation (n.f.) : *Abandon, fatalisme, fait de supporter sans protester quelque chose de pénible.*
281. Issue (n.f.) : *Résultat.*

elle se changea, se refit une beauté devant la glace et partit à son rendez-vous avec le destin.

Il était déjà assis à une table. À sa vue, il se leva avec le même sourire qu'il y a onze ans, ce sourire qui ne savait pas où se mettre sur sa bouche. Elle lui en fit un grand en même temps qu'elle le laissa la débarrasser de sa veste.

«Voilà ma sauveuse», murmura-t-il.

Elle s'assit.

«Attendez au moins que je résolve votre équation.

— Mais je ne parlais pas d'équation», dit-il en la regardant avec ses yeux noirs. Et plus il la regardait, plus il se sentait ivre[282]. «Pour être honnête avec vous, je pense que cette équation n'a pas de solution», puis se retourna pour appeler le serveur.

«Je vous conseille les mojitos, ils sont vraiment divins[283].

— Ça sera un mojito alors, confirma-t-elle en le regardant. Et pourquoi donc pensez-vous que cette fameuse équation n'a pas de solution?»

Le serveur arriva à la table. Christian commanda rapidement les verres, puis se pencha vers elle: «Je le pense parce que je le pressens[284]. Il y a des choses comme ça, qui n'obéissent pas aux mathématiques, aux lois terrestres. Avez-vous vu l'opéra *Carmen*?»

---

282. Ivre (adj.): *Exalté (comme sous l'effet de l'alcool).*
283. Divin (adj.): *Délicieux.*
284. Pressentir (v.): *Deviner, prévoir vaguement.*

Marie répondit avec douceur : «L'amour est un enfant de bohème, qui n'a jamais, jamais connu de lois... Si tu ne m'aimes pas, je t'aime, et si je t'aime, prends garde à toi!»

Les mojitos se posaient sur la table. La menthe s'étirait dans le rhum comme s'étire un chat perse dans des draps de velours, les particules de sucre disparaissaient dans la glace pilée[285] comme des étoiles filantes. Il regarda ses yeux bleus depuis ses yeux à moitié clos et murmura : «Exactement, il y a des équations qui ne se soumettent à aucune loi terrestre.»

Elle avait les coudes sur la table et le visage posé sur les paumes de sa main, et redessinait avec son regard les traits de son visage jusqu'à s'y perdre. Puis elle se redressa comme si elle se réveillait, goûta son mojito et dit en souriant : «C'est vrai qu'il est excellent!» Et ajouta en inclinant légèrement la tête : «Ne me sous-estimez pas, Christian Boblé, vous ne savez pas de quoi je suis capable. Mais on n'est pas là pour parler de cette équation, je me trompe?

— Vous avez complètement raison.

— Alors, dit-elle en plissant les yeux, quel est donc le titre de ce bouquin que vous lisiez dans la cour, il y a de ça onze ans?

— Justement, j'ai une faveur à vous demander avant, répondit-il, se redressant à son tour. Est-ce que,

---

285. Glace pilée : *Glace écrasée en petits morceaux.*

entre anciens du même lycée, on peut se tutoyer ? J'aurai l'impression d'être moins vieux. »

Elle répondit : « Mais bien sûr ! »

Aussitôt sa main se dirigea vers la poche arrière de son pantalon, sortit le livre et le tendit à Marie : « Tiens, je lisais ceci. »

Marie prit le livre entre ses mains et lut *Poèmes d'Orient*. Christian précisa : « Ouvre à la page quatre-vingt-trois. »

Les doigts de Marie feuilletèrent le bouquin, et plus les pages défilaient, plus il lui semblait qu'elle rajeunissait, que le décor du moment s'évanouissait. Le décor du moment n'était qu'une peinture à la gouache[286] qui coulait sous l'assaut des fines gouttes du souvenir, pour laisser place au tableau originel, l'instant qui avait conditionné tous ceux qui le suivirent, l'instant où elle se pencha sur Christian dans la cour de l'école pour lire dans ce livre.

Arrivée à la page quatre-vingt-trois, elle lut :

« Ô perroquet !.. Conteur de charades !..

Garde à jamais l'éclat de tes plumes couleur
    d'émeraude,

Et ton cœur frivole débordant de joie !..

Ô Chance !.. Verse sur nos visages l'eau de rose

Et ne confie point au sobre les secrets de la
    jouissance !..

Oui, la sagesse est le vrai trésor…

---

286. Gouache (n.f.) : *Peinture à l'eau.*

Mais combien vaut-elle, devant un regard d'amour ?!.. »

Le temps n'était pas la seule loi terrestre à faillir[287]. L'espace aussi. Christian qui était en face d'elle était maintenant à côté d'elle, comme transporté par une force invisible. Il lisait à la même page les mêmes lignes. Elle sentait sa respiration lui caresser le cou, et lui respirait l'odeur parfumée de ses mèches brunes. Leurs joues s'attirèrent comme des pôles aimantés[288], et quand elles se collèrent, le même frisson parcourut les deux corps. Ils les décollèrent doucement et se regardèrent dans les yeux. Ils les avaient tous les deux à moitié clos, et étaient dans ce monde les seuls êtres. L'unique vérité qui demeurait était celle de leurs lèvres qui se rencontrèrent.

Ah ces lois terrestres ! Cette association de mots signifie-t-elle encore quelque chose quand deux êtres se décident à s'aimer ?

Ses lèvres se glissèrent jusqu'à son oreille.

« Je ne te laisse plus. J'ai peur, si je te laisse filer[289], de ne te revoir que dans onze ans. »

Elle murmura dans la sienne : « Je ne te laisse plus. J'ai peur, si je te laisse filer, de ne te revoir que dans onze ans. »

---

287. Faillir (v.) : *Commettre une faute, se tromper, avoir tort.*
288. Aimanté (adj.) : *Attiré (comme par un aimant, par la force magnétique).*
289. Filer (v.) : *S'en aller, s'enfuir. (fam.)*

Chapitre Quatorze

Les horloges annonçaient 3 heures du matin. D'habitude, à cette heure, il se levait dans son sommeil, parcourait le couloir de son appartement jusqu'à la chambre aux livres qui renfermait encore l'odeur du colonel, et y continuait sa nuit. Mais cette nuit-là, il était en apesanteur[290]. Son corps était aussi léger qu'une plume.

Il se défit doucement de ses bras et marcha jusqu'à la salle de bain. Il se regarda dans la glace, et malgré le noir, distingua clairement les traits de son visage. «Je reconnais ce visage. Est-ce moi? se demanda-t-il. Est-ce toujours moi?» Il regarda son corps. Il était nu comme un nouveau-né.

En revenant à la chambre, il passa par le salon. Il s'arrêta net devant les trois tableaux accrochés au mur. Le salon était éclairé par la faible lumière de la ville,

---

290. Apesanteur (n.f.): *Disparition de l'attraction terrestre. Il se sent léger, comme s'il flottait.*

mais les tableaux semblaient émettre[291] leur propre lumière et s'éclairer par leur unique présence. Il éprouva un sentiment étrange. «En voilà un esprit torturé», murmura-t-il en regardant la rupture des couleurs, la tristesse des formes et la violence des coups de pinceaux. Ses yeux glissèrent vers le coin inférieur droit de la toile, là où hibernait[292] la signature de l'artiste. Il lut difficilement «Milan Maratka».

Elle arriva derrière lui à pas légers comme si elle ne touchait pas le sol, enveloppée dans un petit peignoir[293] de soie, entoura de ses bras sa taille et posa un baiser sur sa nuque[294].

«Mes tableaux te plaisent?»

Il se tourna vers elle en souriant, la prit dans ses bras, l'embrassa dans le cou et sur les lèvres.

«L'odeur et la délicatesse de ton cou me plaisent, le goût et la douceur de tes lèvres me plaisent, mais ça – et se retournant de nouveau vers les tableaux – cela m'intrigue. De qui sont-ils?

— D'un peintre tchèque qui s'appelle Milan Maratka, un grand monsieur du surréalisme contemporain. Ces tableaux remontent à sa période parisienne, au début des années soixante-dix.

---

291. Émettre (v.): *Diffuser, produire.*
292. Hiberner (v.): *Dormir pendant longtemps (certains animaux hibernent pendant l'hiver).*
293. Peignoir (n.m.): *Sorte de manteau que l'on met après le bain.*
294. Nuque (n.f.): *Partie arrière du cou.*

— Ah! Excuse mon ignorance », ironisa-t-il en la serrant contre lui.

Elle posa ses lèvres sur les siennes : « Vous êtes inexcusable Christian Boblé ! Mais il n'est pas trop tard. »

Il répondit : « Trop tard pour ?

— Pour connaître Milan Maratka. Il expose à Paris la semaine prochaine. Tu n'as qu'à venir avec moi. Puisque ses tableaux t'intriguent, viens lever le mystère. »

Il regarda de nouveau les tableaux, et éprouva le même sentiment étrange. Il finit par hausser les épaules.

« Pourquoi pas. De toute façon, je pense que je ne peux rien te refuser. J'irai avec toi à cette exposition, et je lèverai le mystère ! »

En aparté 2

Tel un alpiniste qui grimpe l'Himalaya,
Mes doigts grimpent les seins
D'une beauté maya
Bientôt, le toit de son monde, le toit de son
corps,
Bientôt, plus de sommets à gravir…
Bientôt, l'escalade charnelle
Touchera à sa fin.
Je reste sur ma faim !
Dois-je changer de planète ?

Chapitre Quinze

Les yeux globuleux[295], patients, et le front ridé, perlé de fines gouttes de sueur, dans un silence de prière. Il regardait l'huile bouillante frire les doigts de Fatma[296] éparpillés par-ci par-là dans la grande poêle. Il était presque midi, des bouches et des bouches allaient d'un coup affluer[297] dans son petit restaurant, mâcher[298], avaler et repartir aussi soudainement. Et lui, tous les jours depuis quarante ans, s'émerveillait devant ce spectacle de mâchoires et de dents, et glorifiait le Seigneur. L'estomac, comme il se plaisait à dire, est l'organe le plus représentatif de l'être humain. Il n'est jamais rassasié[299], il a juste l'illusion de l'être, avant qu'il ne se mette, quelques heures plus tard, à réclamer

---

295. Globuleux (adj.) : *Saillants, qui sont gros et qui ressortent.*
296. Doigts de Fatma : *Pâtisserie orientale.*
297. Affluer (v.) : *Arriver en grand nombre.*
298. Mâcher (v.) : *Écraser la nourriture avec les dents avant de l'avaler.*
299. Rassasié (adj.) : *Qui a assez mangé, qui n'a plus faim.*

encore et encore. Les yeux globuleux fixaient la poêle dans un silence de prière. Les doigts de Fatma étaient enfin prêts. Il les sortit un par un, dorés, parfaits. Une voix aiguë de femme l'arracha à son rituel si bien qu'il en perdit un doigt tombé sous la cuisinière.

« Haj Abdelmoula, bordel de putain de merde ! Le chat a mangé le poisson ! On est dans la merde !

— Pour l'amour de Dieu, Ourida, arrête de crier des gros mots, dit le Haj, irrité. Ce n'est pas grave, ce n'est qu'une bête qui cherche à se nourrir !

— Mais Haj, bordel de merde, c'est pas le chat qui fait "miaou" !! C'est "le chat", le fils de Jamila !

— Ce n'est pas grave, soupira le Haj. Ce n'est qu'une bête qui cherche à se nourrir. »

On l'appelait le chat, et pourtant, il n'était jamais retombé sur ses pattes. Peu importe, il se relevait toujours, le cœur léger et les poches vides. Il déambulait[300] sa grande silhouette dans les rues du vieux Tunis en sifflant un air populaire, attendant que le miracle l'élise[301], lui, parmi les hommes, un génie égaré qui lui exaucerait[302] trois vœux avant qu'il ne retrouve la route vers l'autre royaume. Vingt-cinq ans qu'aucun génie ne s'était trompé de chemin, que la magie ne s'était pas faufilée[303]

300. Déambuler (v.) : *Marcher, se promener sans but précis.*
301. Élire (v.) : *Choisir.*
302. Exaucer (v.) : *Réaliser.*
303. Se faufiler (v.) : *Se glisser.*

dans le monde des hommes. Locataire du labyrinthe du temps et de l'espace, il arpentait[304] les mêmes rues de la ville et s'arrêtait au pied des immeubles où il voyait un tapis sur une balustrade[305], étendu par une ménagère le temps d'un coup de balai ou de serpillière. Et là, il apprivoisait l'un des nombreux chats errants qui, le ventre creux, rôdaient en miaulant en dessous des cuisines des appartements. Quand enfin il réussissait à en capturer un, il le balançait en l'air en direction du tapis. Le chat volait, volait dans les airs, se tordait dans le vide, paniqué par cette soudaine propulsion[306] céleste jusqu'à ce que ses griffes, à la recherche désespérée d'accroche, rencontrent le tapis. Cette rencontre marquait le début de la course effrénée[307] pour la montée.

« Grimpe le chat, grimpe ! » murmurait Moussa. Et la pauvre bête grimpait, motivée par la peur du vide, et plus elle grimpait, plus le tapis auquel elle se cramponnait[308] se déroulait, jusqu'à ce qu'ils tombent tous les deux à ses pieds. Dès que ses pattes touchaient le sol, le chat s'enfuyait comme fouetté par tous les diables[309], pendant que Moussa enroulait tranquillement le tapis qu'il vendait une heure plus tard au souk[310]

---

304. Arpenter (v.): *Parcourir à grands pas.*
305. Balustrade (n.f.): *Rampe soutenue par de petits piliers.*
306. Propulsion (n.f.): *Action de pousser en avant.*
307. Effréné (adj.): *Excessif, sans retenue.*
308. Se cramponner (v.): *S'accrocher fermement.*
309. Fouetté (adj.): *Frappé, battu.*
310. Souk (n.m.): *Marché dans les pays arabes.*

pour une poignée de dinars[311]. Sur le chemin du vieil immeuble en ruine dans lequel il vivait avec sa mère, il sifflait toujours le même air populaire et faisait retentir les pièces dans sa poche, et plus elles retentissaient, plus il sifflait son petit bonheur. Arrivé chez lui, il enlevait ses chaussures trouées devant la porte qu'il poussait doucement, et surprenait sa mère par-derrière, toujours dans sa cuisine. Cette dernière sursautait, puis grognait en se tournant : « Que le diable t'emporte, Moussa ! Je t'ai dit mille fois, ne m'effraie plus comme ça ! » Et Moussa ripostait, moqueur : « Ce n'est pas de ma faute si je suis si effrayant, après tout, je te ressemble. » Puis il mettait sa main dans sa poche, et sortait la moitié du butin[312] : « Tiens Jamila, et montre-moi ton sourire ! » Jamila souriait, prenait les dinars et l'embrassait sur le front. Le soir, il sortait de sous son lit une bourse pleine de pièces et de petits billets, auxquels il rajoutait les dinars de la journée, et il comptait et recomptait. Six cent douze dinars, toute sa fortune. Encore cent quatre-vingt-dix-huit dinars. Cent quatre-vingt-dix-huit dinars, et il s'offrirait la porte du paradis.

Le chat, on l'appelait le chat, et en effet, il était à l'image de ses pauvres complices[313]. Projeté par la main du Puissant dans l'espace, dans l'inconnu, il se

---

311. Dinar (n.m.) : *Monnaie tunisienne.*
312. Butin (n.m.) : *Profit d'un vol.*
313. Complice (n.m.) : *Celui qui aide à faire un vol, à commettre un délit.*

tordait dans l'incertitude du monde, et cherchait, dans l'incompréhension et le délire, à s'accrocher, en espérant que ses griffes trouveraient mieux qu'un tapis, et que sa course serait une ascension plutôt qu'une lutte perdue contre la chute et le temps qui passe.

C'était la nuit du 27 du mois du Ramadan, et la ville, silencieuse au coucher du soleil, revivait doucement, comme une beauté orientale qui s'étire au réveil dans son lit de soie. L'air était secret, mystique, et à lui tout seul suffisait à sécher les larmes et à emplir de bonheur le cœur des hommes.

Moussa grimpait la colline de Sidi Bou Saïd avec son ami d'enfance Azouz, et au fur et à mesure qu'ils escaladaient, ils sentaient que ce n'étaient pas uniquement leurs corps qui prenaient de l'altitude. Ils s'allongèrent sur l'herbe fraîche une fois au sommet, et regardèrent scintiller[314] les étoiles. La nuit du 27 est la nuit du destin, la nuit où les anges quittent le ciel pour la terre, afin de célébrer avec les hommes la gloire d'Allah, en ce mois où Sa parole fut révélée à Ses êtres. On dit que la nuit du 27, la porte du trône, l'ultime voile entre Dieu et Ses hommes, s'ouvre pendant quelques infimes[315] secondes, et que celui qui l'aperçoit verra son vœu le plus cher aussitôt exaucé… Moussa parcourait avec ses yeux le vaste ciel. Les étoiles brillaient si fort

---

314. Scintiller (v.): *Briller.*
315. Infime (adj.): *Très petit.*

qu'il en oublia la porte du trône. Elles brillaient comme si elles étaient à portée de main !

Azouz, gagné au bout d'une heure par la lassitude[316], fixa Moussa et dit : « Allez viens, descendons, allons piquer[317] des zlébya[318] au resto du Haj.

— Lève la tête, imbécile, lève la tête et admire. » Il se tourna, le regarda à son tour et tapa de la paume de sa main le sol à son côté. « Viens, assieds-toi, je vais te montrer l'étoile polaire. »

Azouz éclata de rire. « Ben voyons ! Sidi le chat veut me montrer où se trouve l'étoile polaire ! Tu t'es pris pour Sindbad le marin ? »

Moussa se redressa en grognant : « Parce qu'il faut être Sindbad le marin pour savoir où se trouve l'étoile polaire ?

— Oui, Sindbad ! Ou cosmonaute au pire ! Allez, moi je file, les zlébya doivent être chaudes, là ! »

Moussa regarda le ciel une dernière fois, se leva et dit, résigné : « Putain Azouz, tu penses qu'à ton estomac ! »

Et Azouz protesta en descendant la colline :

« Penser, c'est pas pour moi ! Manger des zlébya toutes chaudes et toutes mielleuses[319], ça, je sais faire ! »

---

316. Lassitude (n.f.) : *Fatigue, ennui.*
317. Piquer (v.) : *Voler. (fam.)*
318. Zlébya : *Gâteaux traditionnels tunisiens.*
319. Mielleux (adj.) : *Plein de miel.*

Chapitre Seize

C'était une année des plus étranges, non seulement dans l'histoire du grand Tunis, mais dans celle de tout le pays. Même les centenaires, qui avaient vu défiler une colonisation, deux guerres et une brebis clonée[320], n'avaient jamais rien connu de tel. Ils mâchaient leurs dentiers[321] avec leurs gencives usées et annonçaient d'un air grave la fin très prochaine du monde. Les signes de la colère divine, disaient-ils, étaient aussi visibles que le nez au milieu de la figure. Comment voulez-vous qu'il ne soit pas en colère, le Bon Dieu, disaient-ils, alors que tous les étés, les touristes allemands lavent en string leurs graisses d'infidèles sur les plages de Hammamet, que les jeunes filles adulent[322] les chanteuses libertines

---

320. Une brebis clonée : *Un mouton femelle obtenu par clonage (reproduction d'un être vivant à partir de son ADN). Référence ici à Dolly, premier mammifère cloné de l'histoire en 1996.*
321. Dentier (n.m.) : *Ensemble de fausses dents.*
322. Aduler (v.) : *Adorer.*

libanaises qui gazouillent l'hymne à la débauche[323] en décolleté, et que l'homosexualité bourgeonne sans pudeur[324] dans les coins des rues!

En effet, plusieurs événements curieux de l'ordre du surnaturel survenus coup sur coup leur avaient permis d'avancer une telle thèse, et de la défendre avec une ardeur flamboyante. Tout avait commencé par l'invasion des sauterelles[325]. Des millions de sauterelles affamées, dont les capacités de reproduction avaient été décuplées[326] par une série de pluies d'une puissance inhabituelle, migraient en masse de l'Afrique de l'Ouest, avalant les récoltes sur leur chemin. À une vitesse spectaculaire, dopées[327] par le shehili[328], elles remontaient la route saharienne des épices et arrivèrent jusqu'au point le plus haut de l'Afrique. Les habitants voyaient leur ciel bleu devenir brun et crurent d'abord à l'orage. Mais quand il commença à pleuvoir des sauterelles, ils comprirent vite que les dégâts seraient beaucoup plus importants que des routes boueuses ou des coupures d'électricité. En fait, la toute première sauterelle qui avait atterri avait clairement annoncé

---

323. Débauche (n.f.): *Recherche à l'excès des plaisirs sensuels.*
324. Pudeur (n.f.)*: Retenue, réserve (surtout en ce qui concerne le corps, la sexualité).*
325. Sauterelle (n.f.): *Insecte (dans le Coran et dans la Bible, les invasions de sauterelles font partie des punitions divines).*
326. Décuplé (adj.): *Multiplié par dix.*
327. Dopé (adj.): *Stimulé.*
328. Shehili: *Appellation tunisienne du sirocco.*

le fléau[329] et avait ouvertement déclaré la guerre. La bataille entre les hommes et les insectes eut alors lieu.

Pendant que les quelques avions de l'armée balançaient des pesticides[330] au-dessus des champs, les paysans allumaient de grands feux, dans l'espoir que la fumée montante chasserait les impitoyables[331] visiteurs. Les enfants secouaient des boîtes en fer-blanc remplies de pierres afin de dérégler[332] avec les ondes sonores le schéma d'attaque dessiné par les sauterelles. Certains bourgeois de la capitale, entendant par-ci par-là que les restaurants gastronomiques français servaient de la sauterelle en entrée, juste avant la grenouille en plat de résistance, les ramassaient par dizaines et s'interrogeaient chez eux sur la meilleure façon de les cuisiner. Mais la partie était perdue d'avance. Ni les pesticides, ni les effets pyrotechniques, ni même la cuisson n'étaient arrivés à bout de l'armada[333] sauteuse, et en trois semaines, le pays avait déjà perdu plus de la moitié de ses récoltes. Blés, oliviers, poiriers, jasmins… même les figuiers de barbarie n'avaient pas échappé à l'appétit monstrueux des insectes. Et quand le désespoir atteignit son paroxysme[334], et que les habitants commencèrent

---

329. Fléau (n.m.) : *Catastrophe.*
330. Pesticide (n.m.) : *Produit pour éliminer les parasites (insectes ou plantes).*
331. Impitoyable (adj.) : *Sans pitié.*
332. Dérégler (v.) : *Perturber.*
333. Armada (n.f.) : *Grande quantité de personnes ou de choses.*
334. Paroxysme (n.m.) : *Plus haut degré, moment le plus intense.*

à se demander ce qu'ils allaient bien pouvoir manger d'ici la nouvelle récolte, les sauterelles disparurent aussi soudainement qu'elles étaient apparues !

La deuxième bizarrerie se produisit peu de temps après, à la veille de l'Aïd el-Kébir, la fête du mouton, alors que le son des boîtes en fer-blanc résonnait toujours dans les rues. Pour éviter à leurs appartements l'odeur, la saleté et le vacarme[335] d'une bergerie[336], les Tunisois avaient pour habitude de parquer les moutons du sacrifice sur leurs balcons jusqu'au matin de la fête. Les bêtes, décorées de la main des enfants par des rubans rouges et blancs, attachées par des cordes aux balustrades, jetaient des coups d'œil au vide sous leurs pattes, puis se regardaient et bêlaient[337] toutes en chœur, conscientes de leur destin unique. Les bêlements berçaient la paisible ville la nuit durant, et s'arrêtaient tôt le matin, laissant place à l'odeur du méchoui[338] et du couscous. Mais cette année-là, décidément, quelque chose n'allait pas, le monde ne tournait pas comme d'habitude. Étrangement, les bêlements s'étaient arrêtés d'une façon progressive assez tôt dans la nuit, avant même que l'étoile du berger n'apparaisse dans le ciel. Et le matin, les habitants catastrophés en avaient découvert la raison. Le spectacle désolant était

---

335. Vacarme (n.m.) : *Grand bruit.*
336. Bergerie (n.f.) : *Lieu où l'on abrite les moutons.*
337. Bêler (v.) : *Crier (pour un mouton).*
338. Méchoui (n.m.) : *Mouton entier cuit à la broche.*

au-delà de l'imagination. Tous les moutons étaient pendus au bout de leurs cordes, de l'autre côté des balustrades! Leurs corps se balançaient dans le vide en silence, et donnaient aux façades des immeubles une allure macabre[339] que les années n'ont pu chasser de la mémoire populaire.

Bien entendu, personne ne mangea ni couscous ni méchoui ce jour-là. L'heure était à l'enquête et à la réflexion : comment les moutons s'étaient-ils organisés pour réaliser ce gigantesque suicide collectif? Les premières explications fusèrent[340] et différentes thèses ne tardèrent pas à s'élaborer, pour finalement donner naissance à deux grandes théories. La première s'inspirait de la vie des moutons en troupeau, où un seul mouvement brusque d'un mouton avait pour conséquence immédiate de déplacer l'ensemble du troupeau dans la même direction et cela d'une façon aussi soudaine et inattendue. Du coup, le carnage[341] aurait été amorcé[342] par l'initiative isolée d'un mouton suicidaire, et aurait enclenché le même mécanisme du saut de l'ange chez les moutons des balcons voisins. L'effet boule de neige se serait poursuivi avec une efficacité redoutable, pour venir à bout de tous les moutons du grand Tunis.

---

339. Macabre (adj.) : *Qui évoque la mort.*
340. Fuser (v.) : *Jaillir, partir comme une fusée.*
341. Carnage (n.m.) : *Massacre, tuerie.*
342. Amorcer (v.) : *Commencer.*

La deuxième théorie était plus fantasque[343]. En effet, le Bon Dieu, mécontent de l'hypocrisie[344] croissante de ses fidèles égarés[345], aurait décidé de les punir et de les priver d'un sacrifice qui avait perdu sa dimension religieuse et spirituelle et n'avait gardé que sa dimension gastronomique. Il aurait alors chargé son messager, l'ange Jebraïl, de souffler aux oreilles des moutons l'ordre du suicide. Et l'ange Jebraïl avait murmuré aux oreilles des moutons qui, sans émettre le moindre bêlement, avaient obéi à la consigne du Créateur tout puissant.

La théorie de la colère divine se renforça par un événement encore plus intrigant, survenu deux mois après la fête manquée du mouton. La falaise de Sidi Belhassen, qui se dressait à l'entrée de Tunis et abritait à son sommet le mausolée du Saint et à son pied un petit cimetière paisible, fut le théâtre de faits étranges. D'une grotte sombre et profonde, à mi-hauteur de la falaise, s'élevaient dans le ciel et sans interruption des mugissements[346] effrayants. Leur intensité croissait au fil des nuits et empêcha au bout d'une semaine toute la ville de dormir. Mais le phénomène ne suscitait pas d'inquiétude particulière. On pensait que le vent violent

---

343. Fantasque (adj.) : *Bizarre.*
344. Hypocrisie (n.f.) : *Attitude où l'on fait semblant, où on exprime des sentiments que l'on n'a pas.*
345. Ses fidèles égarés : *Les croyants qui ne respectent plus la religion comme ils devraient.*
346. Mugissement (n.m.) : *Cri de la vache.*

qui s'était levé ces jours-ci soufflait dans la grotte et provoquait ce retour sonore. Cependant, la découverte du cadavre d'une chèvre entièrement dépecée, ensuite d'un homme, puis de deux, eux aussi complètement déshabillés de leur peau, finit par semer la panique dans la population, et la peur se propagea comme le feu dans la paille. C'était là les preuves claires et irréfutables de l'existence d'un Afritt[347] dans la grotte de Sidi Belhassen! Ce jinn[348] maléfique, serpent géant de chair et de flamme, poilu comme un bouc[349], était venu annoncer aux êtres de ce monde la fin des temps, et expédiait en enfer la peau de ceux qui le croisaient!

En fallait-il plus pour que l'on retrouve le droit chemin? Rapidement, les égarés se repentirent et les prêcheurs[350] dans leurs mosquées firent réciter aux fidèles des formules à base de *Hadîth*[351] et de Coran, qui lavaient l'âme de ses péchés et la rendaient aussi pure que celle d'un nouveau-né. Même ceux qui n'avaient jamais mis les pieds dans une mosquée imploraient la miséricorde[352] du Seigneur et se découvraient un

---

347. Afritt (n.m.): *Esprit du feu, génie malfaisant dans le monde arabe.*
348. Jinn (n.m.): *Génie.*
349. Bouc (n.m.): *Mâle de la chèvre.*
350. Prêcheur (n.m.): *Celui qui enseigne la parole de Dieu sous forme de sermon.*
351. Hadîth: *Paroles du prophète Mahomet, considérées par les musulmans comme des directives complémentaires à celles édictées par Allah dans le Coran.*
352. Miséricorde (n.f.): *Pitié, pardon.*

vrai talent dans la prière et la lamentation! Tout ce tintamarre[353] se déroulait sous les yeux incrédules du maréchal Ammar, vendeur de bière au marché noir, de père en fils. Mais au fil des jours, le scepticisme se transforma en agacement, puis en colère. Ses clients les plus fidèles ne buvaient plus la moindre goutte, et ceux qui avaient hier dans le sang un degré d'alcool supérieur à celui que peut contenir une bouteille d'antiseptique, récitaient d'une voix pieuse[354], par cœur et sans difficulté, les soixante sourates[355] du livre sacré!

Le déclin du business du maréchal fut sans doute la cause de sa grande décision. Il sortit son magnifique fusil de guerre, qu'il avait rangé en 64 après avoir chassé de Bizerte les derniers soldats français de la colonisation, lui nettoya longuement le double canon et le chargea[356]. Il passa son après-midi à boire, et le soir tombé, il sortit armé de sa maison et se dirigea vers la place du marché. Là, debout sur la grande estrade[357], il hurla: «Bande de bâtards! Bande de bâtards!»

Il hurlait tellement fort qu'après quelques secondes la place fut bondée[358] de monde comme au jour du grand souk. Après un moment d'agitation, le silence

---

353. Tintamarre (n.m.): *Grand bruit.*
354. Pieux (adj.): *Respectueux de la religion.*
355. Sourate (n.f.): *« Chapitre », partie du Coran.*
356. Charger (v.): *Ici, mettre des munitions, de la poudre dans une arme.*
357. Estrade (n.f.): *Plancher surélevé, podium, plateforme.*
358. Bondé (adj.): *Rempli.*

régna. Le maréchal fusilla la foule du regard[359], puis déclara d'une voix profonde : « Regardez-moi bien, bande de bâtards. Je vais monter là-haut, et je vais le buter[360], ce putain d'Afritt qui vous a rendu tous bons pour l'asile ! »

Puis il descendit de l'estrade. La foule s'écarta pour le laisser passer, et aussitôt se referma derrière lui et le suivit en silence. À une centaine de mètres de la grotte, elle s'arrêta, stoppée par les mugissements du jinn. Le maréchal, lui, continuait d'avancer, en grognant : « Je vais te niquer[361], je vais te niquer, sale Afritt de merde ! » Arrivé à l'entrée de la grotte, il se retourna. La nuit était douce, et le vent léger. Les reflets des lumières de Tunis dansaient à la surface de son grand lac. Il respira un grand coup et disparut dans l'obscurité de la grotte. Ce fut la dernière fois qu'on le vit.

Quelques jours plus tard, en une fin d'après-midi qui s'annonçait plutôt calme, le ciel s'assombrit d'un coup, et un orage d'une rare violence éclata. Le vent surpuissant se mit à lever le sable et à arracher les arbres, la grêle[362] cassait les vitres des maisons et la foudre déchirait l'horizon. Les gens s'abritèrent chez eux, condamnés par la nature furieuse, et constatèrent

---

359. Fusiller du regard (expr.) : *Regarder de façon méchante.*
360. Buter (v.) : *Tuer. (fam.)*
361. Niquer (v.) : *Avoir (dans le sens : je vais t'avoir, je vais te régler ton compte). (vulg.)*
362. Grêle (n.f.) : *Pluie de glaçons.*

impuissants, que le mausolée de Sidi Belhassen, en haut de la falaise, avait pris feu ! Les quelques personnes qui essayèrent de sortir de chez elles pour tenter de l'éteindre virent leurs ardeurs calmées par la grêle qui, au bout de deux pas, leur ouvrait le crâne !

Le lendemain, le ciel redevint bleu azur, et le soleil brilla fort. Les mugissements avaient cessé et le feu s'était éteint. Tout ce qui était dans le mausolée avait été dévoré par les flammes, seule la tombe du Saint avait été épargnée. On expliqua la fin des mugissements par le passage de l'Afritt vers l'autre monde. En effet, le Bon Dieu aurait eu pitié de Ses fidèles, et aurait élevé l'émissaire[363] de l'enfer dans le ciel, comme Il l'avait fait avec Jésus que les chrétiens croient toujours mort cloué sur sa croix. Mais Il leur aurait quand même lancé un avertissement, en brûlant toute la bassesse terrestre du mausolée : tapis, soie, lustres... et en y laissant uniquement la valeur mystique symbolisée par la tombe du Saint. Ainsi, Il leur montrait le chemin du salut. Cette conclusion fut confortée par plusieurs témoins oculaires[364] qui, durant l'orage, auraient vu l'Afritt sortir de la grotte en rampant, s'élever dans la voûte céleste[365] en tordant son corps poilu de chair et de feu, et lancer de sa bouche affreuse vers le mausolée une flamme bleue avant de disparaître au-dessus des nuages.

---

363. Émissaire (n.m.) : *Envoyé, messager.*
364. Témoin oculaire : *Celui qui a vu quelque chose de ses yeux.*
365. Voûte céleste : *Ciel.*

Autant Moussa le chat n'avait rien à voir, ni de près ni de loin, avec l'invasion des sauterelles, le suicide des moutons ou encore les mugissements de la grotte, autant il était coupable de l'incendie qui ravagea le mausolée de Sidi Belhassen. La veille, il avait sorti sa bourse cachée sous son lit, et ajouté à la somme le pactole[366] du jour, issu bien entendu du vol plané d'un tapis. Enfin, le compte était bon. Il était finalement parvenu à économiser les mille dinars, le prix à payer pour corrompre[367] le fonctionnaire de l'ambassade qui délivre les visas pour la France, le pays où toutes les vaches sont grosses. Enfin un nouveau départ, enfin une nouvelle vie. Adieu les chats, les tapis et les moments guettés où Ourida avait le dos tourné dans le restaurant du Haj. Il se voyait déjà dans la peau d'un autre homme. Un homme qui ne compte pas son argent et qui peste[368] parce qu'il ne trouve pas de place pour garer sa grosse voiture. Il achèterait à sa mère une maison, elle quitte-rait enfin son immeuble pourri d'humidité et de moisi. Il lui offrirait un aspirateur. Elle aura la tête haute et ne se baisserait plus jamais pour balayer le sol.

Le lendemain en fin d'après-midi, il partit avec Azouz au mausolée pour allumer des cierges[369] et prier

---

366. Pactole (n.m.): *Somme d'argent importante.*
367. Corrompre (v.): *Convaincre quelqu'un (parfois avec de l'argent) de faire quelque chose contre son devoir.*
368. Pester (v.): *Montrer sa mauvaise humeur.*
369. Cierge (n.m.): *Bougie, chandelle qu'on trouve dans les églises.*

Sidi Belhassen le Saint afin qu'il l'aide à réaliser ses projets. Ils étaient les seuls dans l'enceinte[370] silencieuse. Alors qu'ils allumaient tranquillement les cierges, Azouz l'allumé[371] proposa à Moussa une compétition stupide : «Celui qui allume le plus de cierges, dit-il, aura les faveurs de Sidi Belhassen et ainsi la meilleure destinée.» Il n'en fallait pas plus aux deux amis pour se lancer dans l'allumage forcené des centaines de bougies parsemées autour de la tombe sacrée. Moussa, plus motivé que jamais, en devint une machine. Il tenait la boîte d'allumettes comme s'il tenait son destin entre les mains, et en alluma les tiges une par une dans un état qui frôlait l'inconscience[372]. Il n'entendit même pas le tonnerre qui grondait au-dessus de la ville et l'abattement violent de la grêle qui commençait à secouer la falaise. Il ne se réveilla de sa transe[373] que lorsqu'il sentit les mains d'Azouz sur ses épaules en train de le secouer. Il se rendit compte qu'il criait. Il tourna la tête et réalisa que le mausolée avait pris feu. Une bougie avait léché avec sa flamme les longs rideaux de soie, et en quelques secondes les flammes se propagèrent. Ils commencèrent une bataille désespérée contre le feu, mais leur cause était perdue d'avance. Quand la grêle apocalyptique eut raison des nombreuses vitres,

---

370. Enceinte (n.f.) : *Espace fermé.*
371. Allumé (n.m.) : *Ici, le fou. (fam.)*
372. Inconscience (n.f.) : *Ici, folie.*
373. Transe (n.f.) : *Exaltation, état où l'on se sent hors de soi-même.*

l'appel d'air surexcita les flammes et le reste du mausolée flamba. Les deux compères, noircis par la fumée,
abandonnèrent leur œuvre flamboyante et descendirent
la falaise en cachette. La précipitation les fit rouler dans
la boue et la grêle leur ouvrit le crâne. Ils arrivèrent en
bas dans un état lamentable. L'orage s'était calmé et les
gens commençaient à sortir de chez eux. Les premières
rumeurs prenaient rapidement naissance, et Moussa et
Azouz les confirmèrent avec ardeur.

Oui, ils l'avaient vu ! L'Afritt s'était élevé dans
le ciel, et la flamme qu'il avait lancée de sa gueule
monstrueuse était bel et bien bleue. Ils avaient essayé,
disaient-ils, d'éteindre l'incendie, mais aucune force
humaine ne pouvait contrer l'œuvre d'un jinn. Ils furent
écoutés avec attention et félicités. Sidi Belhassen le leur
rendrait, leur dit-on. Avec leurs têtes de lynchés[374], il
était difficile de ne pas les croire.

---

374. Lynché (n.m.) : *Celui qui a été frappé, brutalisé.*

Chapitre Dix-sept

Il arriva devant la police des frontières tunisiennes le cœur battant la chamade[375], respira un grand coup et murmura les quelques versets[376] qui traînaient dans sa mémoire depuis l'époque de l'école coranique. Il regarda Azouz dans la file d'à côté. Ils se sourirent nerveusement pour se rassurer et avancèrent vers les guichets. Le policier, quinquagénaire[377] aux cheveux gris, bâilla sous sa moustache épaisse et regarda d'un œil distrait le passeport et le visa. Puis il leva ses yeux et lança vers Moussa un regard blasé[378].

« Il t'a coûté cher ton visa ? »

Moussa, qui s'était psychologiquement préparé à ce genre de questions, et qui se voyait défendre avec de grandes phrases indignées l'intégrité

---

375. Battre la chamade (expr.) : *Battre très fort.*
376. Verset (n.m.) : *Paragraphe du Coran.*
377. Quinquagénaire (n.m.) : *Personne d'environ cinquante ans.*
378. Blasé (adj.) : *Indifférent, lassé.*

de ses papiers, répondit d'une voix étouffée : « Mille dinars. »

Le policier siffla longuement : « Les enfoirés, ils ont augmenté les tarifs ! » Il observa le visa en murmurant : « Ça doit être l'inflation. » Il releva les yeux vers Moussa : « Qu'est-ce qu'on fait maintenant ?

— Ce qui est mektoub[379], dit Moussa au bord des larmes.

— En trente-six ans de carrière, j'ai dû arrêter des milliers de jeunes comme toi, de quoi remplir un stade olympique. Tous avaient le même rêve, qui se terminait ici, à mon guichet[380]. Je rentrais chez moi le soir, et eux, ils étaient conduits en prison. Qu'est-ce que j'y ai gagné ? Un cancer qui me ronge la chair avec un tel appétit qu'on dirait un loup affamé lâché dans un poulailler. Je me dis que c'est les plaintes qu'adressaient à Allah ceux que j'ai mis en taule[381], qui ont fini par semer cette graine du diable dans mon corps. »

Il regarda une dernière fois le passeport, renversa ses lèvres et le tamponna en disant :

« Après tout, la terre est la terre d'Allah, les frontières sont celles de l'homme. »

Il lui tendit le document en soupirant : « Va rêver, petit, tu finiras par te rendre compte que la vie n'est qu'un cauchemar ! »

---

379. Mektoub : *Ce qui est écrit.*
380. Guichet (n.m.) : *Comptoir.*
381. Taule (n.f.) : *Prison. (fam.)*

Moussa récupéra son passeport d'une main tremblante, avança vers les portiques de contrôle, et ne
recommença à respirer qu'une fois passé. Il s'assit sur
un strapontin[382] entre les différentes salles d'attente,
un sourire hésitant sur les lèvres, entre le soulagement
et la joie. Il attendait Azouz, et au fur et à mesure que
les minutes passaient, l'inquiétude le gagna. Quand
une voix lança en trois langues le dernier appel pour
l'embarquement vers Paris, Moussa comprit que le
policier du guichet d'Azouz avait la santé. Et quand on
a la santé, on n'accorde pas la miséricorde.

Le cœur déchiré d'avoir perdu son compagnon de
toujours, il l'imaginait les mains menottées[383], gisant sur
le sol d'une cellule sombre et humide. Quand l'avion
décolla, laissant derrière lui le pays des souvenirs et
des merveilles, il récita en boucle un verset du Coran :
« *Il se peut que vous ayez l'aversion[384] pour une chose alors
qu'elle vous est un bien* », et se rappela ce qui était arrivé
au Haj Abdelmoula. En fait, le titre de Haj, strictement
réservé aux pèlerins revenus de La Mecque, où les âmes
se lavent comme du linge et redeviennent aussi pures
que celles des nouveau-nés, fut attribué à Abdelmoula
par un accord implicite[385] et général de l'ensemble des

---

382. Strapontin (n.m.) : *Siège repliable.*
383. Menotté (adj.) : *Attaché avec des menottes, des bracelets en
métal.*
384. Aversion (n.f.) : *Antipathie, dégoût, fait de ne pas aimer
quelque chose.*
385. Implicite (adj.) : *Qui n'a pas besoin d'être discuté, sous-entendu.*

habitants de la Médina de Tunis. Il faut dire que le Haj avait toutes les vertus et n'avait pas spécialement besoin d'aller visiter les terres saintes pour avoir le même passif en péchés qu'un bébé de six mois. Et pourtant, toucher la pierre noire et boire de la source de Zemzem, que le Tout-Puissant fit surgir en plein désert pour sauver l'enfant d'Abraham d'une soif mortelle, était son désir le plus cher et le plus ardent. Mais à chaque fois, ses demandes de pèlerinage étaient recalées[386] par la mairie. En effet, la mairie, ne pouvant satisfaire toutes les demandes de pèlerinage des habitants en raison des quotas par pays qu'impose le gouvernement saoudien, procédait par un tirage au sort qui tournait le dos aux tentatives successives d'Abdelmoula. Mais il en fallait plus pour le désespérer, et il présenta et représenta son dossier année après année. Au bout de la huitième, son nom fut tiré, et ses voisins affluèrent chez lui pour le féliciter et lui souhaiter bon voyage. Il acheta son billet, prépara sa valise et changea les dinars en riyals. La veille de son départ, alors qu'il revenait de la mosquée, il croisa le caniche[387] de sa voisine. Habituellement attachée dans le jardin, la bête, qui était devenue à moitié folle à cause des gamins du quartier qui la harcelaient sans cesse à coups de pierres et de pétards[388], rôdait dehors. Voyant

---

386. Recalé (adj.) : *Refusé.*
387. Caniche (n.m.) : *Petit chien.*
388. Pétard (n.m.) : *Petit explosif qu'on utilise pour s'amuser, pour faire du bruit.*

arriver la petite silhouette déambulante d'Abdelmoula, elle se jeta sur lui et lui mordit le mollet[389]. La série de vaccins et les mesures sanitaires privèrent alors le futur Haj de son pèlerinage, et ceux qui avaient frappé à sa porte quelques jours auparavant pour le féliciter, revinrent pour le consoler. Mais Abdelmoula était calme et stoïque, et il n'y avait sur son visage aucun signe d'une rancœur[390] quelconque contre le destin moqueur. Il leur disait d'une voix qui venait des profondeurs de sa foi : « *Il se peut que vous ayez l'aversion pour une chose alors qu'elle vous est un bien.* »

Quelques jours plus tard, la télé et les journaux relayaient[391] le drame. Le bus des pèlerins tunisois, qui les emmenait la nuit de La Mecque à Médine, quitta la route et s'écrasa dans un ravin. L'ange de la mort, qui se baladait dans le coin, se baissa et cueillit leurs âmes une par une comme un jardinier lors de la cueillette des champignons. Le chauffeur du bus, un Indien qui n'avait pas goûté au sommeil pendant deux nuits successives, exploité par ceux qui, le jour, proclament la fraternité des hommes, avait fini par fermer l'œil.

---

389. Mollet (n.m.) : *Partie de la jambe entre la cheville et le genou.*
390. Rancœur (n.f.) : *Amertume, ressentiment, sentiment de colère après une déception.*
391. Relayer (v.) : *Rapporter, retransmettre.*

Chapitre Dix-huit

Il faisait nuit quand l'avion se posa dans la ville des lumières. Moussa, qui n'avait pour bagage qu'un petit sac à dos contenant le peu de vêtements qu'il possédait, un sandwich au thon, et quatre-vingts euros, toute sa fortune, ne prit pas le risque de se présenter devant la police des frontières françaises. Une fois hors de l'avion, il réussit à se sauver et à éviter le bus qui conduisait les voyageurs vers l'ultime point de contrôle. Il avançait dans les champs voisins, les avions décollant au-dessus de sa tête dans un boucan[392] monstrueux, comme le jinn qu'il prétendait avoir vu s'élever dans le ciel quelques jours auparavant. Il marcha pendant des heures, jusqu'à ce qu'il trouvât une sortie qui donnait sur une autoroute. Il la longea, et au bout d'une centaine de mètres, il croisa un panneau. Paris, 32 km.

---

392. Boucan (n.m.): *Grand bruit, vacarme. (fam.)*

La rencontre avec ce panneau le requinqua[393], et il continua sa marche de l'incertitude, convaincu de sa bonne étoile, alors que celles du ciel parisien qui parvenaient à échapper au masque de pollution s'éteignaient une à une, laissant place à l'aube humide. Les gouttes de pluie l'accompagnèrent jusqu'à Paris, porte des Lilas, où il arriva trempé jusqu'aux os.

La ville commençait à vivre. L'odeur du pain montait des boulangeries, les garçons de café balayaient le trottoir de leurs cafés, et les camions de livraison apportaient aux supérettes[394] de quoi garnir leurs rayons. Les pigeons, gris comme tout ce qu'il y a autour, ressemblaient à des caméléons volants imprégnés de la couleur ambiante. Ils pointaient le bout de leurs becs en roucoulant[395], narguant[396] au passage tous ceux qui s'étaient endormis la veille en rêvant de se lever le lendemain dans un Paris sans pigeons. Les gens sortaient de partout et disparaissaient brusquement dans les bouches grandes ouvertes du métro parisien. Mais Moussa était trop mort pour voir les signes de vie. Trop mort même pour réaliser qu'il était en France, à Paris. Exténué, il sentit que ses membres commençaient à le lâcher. Il s'affala[397] sur un banc public, se disant en fermant les

393. Requinquer (v.) : *Redonner des forces.*
394. Supérette (n.f.) : *Petit supermarché.*
395. Roucouler (v.) : *Bruit que fait le pigeon.*
396. Narguer (v.) : *Défier, braver avec mépris.*
397. S'affaler (v.) : *Se laisser tomber.*

yeux que la fortune qui l'attendait depuis plus de vingt ans pouvait patienter encore une heure ou deux.

Il se réveilla devant une flopée[398] de fleurs! Il se redressa sur le banc et les contempla d'un œil fasciné. Les gouttes de pluie avaient cessé et un semblant de soleil se frayait un chemin entre les nuages. Ses vêtements étaient humides et ses membres froids. Il se frotta pour se réchauffer et sentit la faim lui mordre l'estomac. Il balaya du regard la place où il était, dans l'espoir d'y trouver le restaurant du Haj. Mais le restaurant du Haj était toujours dans le vieux Tunis. Il se rappela qu'il avait encore un sandwich au thon au fond de son sac. Il le sortit et le regarda avec bonheur. Parfois le bonheur est un sandwich au thon.

Il se mit à manger avec enthousiasme, et sentit son corps revivre. Il regarda les pigeons qui commençaient à s'assembler à ses pieds, à l'affût[399] des éventuelles miettes qui échapperaient à sa bouche. S'il y a autant de pigeons, se dit-il, c'est qu'il n'y a pas assez de chats. Il sourit en se disant qu'il avait eu raison de venir.

Il remordit dans son sandwich et fredonna[400] un air populaire tunisien entre les bouchées. Une femme d'une cinquantaine d'années, qui sortait de la boutique

---

398. Flopée (n.f.): *Grande quantité. (fam.)*
399. À l'affût: *En guettant.*
400. Fredonner (v.): *Chanter à mi-voix, entre ses dents.*

de fleurs, un arrosoir à la main, se retourna doucement vers lui. Il continua à fredonner et lui sourit entre ses bouchées. Elle lui rendit un sourire à mi-chemin entre l'espérance et l'impatience, et courut s'installer à ses côtés sur le banc. Elle posa sa main sur son épaule et demanda : « Tu viens de Sidi Bou ? »

Moussa la regarda étonné, et répondit, avec le même sourire entre ses bouchées : « Oui ! »

La dame lui secoua encore plus l'épaule avec la même expression du visage, le même sourire qui ne savait pas trop comment se placer sur sa bouche : « De Sidi Bou Saïd même ?

— De Sidi Bou Saïd même ! »

Elle ferma les yeux et soupira avec nostalgie : « J'ai grandi à Sidi Bou ! »

Puis elle s'approcha de lui et inspira profondément, comme si elle essayait de le sentir.

« Les jasmins y sentent toujours aussi bon ?

— Leur parfum encense [401] toute la ville, affirma-t-il.

— Et le Haj Romdhane fait toujours des beignets au sucre ?

— Il en fait peut-être dans l'autre monde, paix à son âme. Mais dans le nôtre, son fils a pris le relais.

— Paix à son âme. Et le Café des Nattes ?

— Toujours en haut de la colline.

---

401. Encenser (v.) : *Ici, sentir bon, répandre une bonne odeur.*

« — On y joue toujours du luth[402] ?

— Tous les jours jusqu'à l'aube. »

Elle le regarda longuement et dit : « Pourquoi tu as quitté le pays des rêves ?

— Les rêves n'ont jamais rempli une bouche », répondit-il en mâchant.

Rima acquiesça tristement : « Tu as raison. »

Elle le regarda et lui continuait à lui sourire. Le souvenir de l'enfant qu'elle avait autrefois abandonné était à jamais gravé dans son âme et se ravivait comme de la braise à chaque souffle qu'elle prenait. Il doit avoir le même âge que lui, se dit-elle. Je ne peux pas l'abandonner. Je ne veux pas l'abandonner.

Elle le regarda et lui continuait à lui sourire. Elle lui demanda : « Qu'est ce que tu sais faire ?

— Tout ce qu'on peut faire avec ses mains.

— Tu connais les fleurs ? »

Il la regarda comme s'il lui reprochait ses mots : « Je viens de Sidi Bou ! »

Elle sourit et dit : « Tu veux travailler avec moi dans mon magasin ? »

Il hocha la tête plusieurs fois de haut en bas et dit : « Oui ! »

Elle se leva et l'invita d'une voix maternelle : « Viens avec moi. »

Moussa se leva et la suivit. Une demi-heure plus

---

402. Luth (n.m.) : *Instrument de musique à cordes.*

tard, il portait un tablier et défeuillait les roses en chantant avec Rima les airs de Sidi Bou, la terre de tous les destins. La nuit tomba, elle était plus douce que prévu. Il dormit dans le magasin entre les fleurs.

Un mois passa, et Rima se sentait revivre grâce à Moussa et ses histoires tunisoises. Elle revoyait les ruelles, les maisons blanches et les fenêtres bleues. Elle imaginait en riant les chats voler et s'accrocher aux tapis, et tapait ensuite l'épaule de Moussa en disant : « Tu n'as pas honte ! » Et quand un soir elle lui raconta les larmes aux yeux le fils qu'elle laissa dans une corbeille, Moussa lui prit les mains et lui fit un sourire compatissant. Il lui raconta à son tour l'histoire du Haj qui s'est fait mordre par le chien à la veille de son départ pour La Mecque, et lui récita pieusement le verset du Coran : « *Il se peut que vous ayez l'aversion pour une chose alors qu'elle vous est un bien.* » Il finit par ajouter : « Si Allah a fait la terre ronde, c'est bien pour une raison. Elle tourne et se retourne, et tous les chemins finissent tôt ou tard par se recroiser. »

D'un coup, Rima se sentit plus légère. Les scientifiques justifient la sphéricité de la terre par son histoire gazeuse et les lois de gravitation universelle. Elle est peut-être ronde juste pour permettre aux Hommes de se retrouver. Elle pensa à Milan et son exposition qui approchait. La terre est bel et bien ronde.

Chapitre Dix-neuf

C'était le 17 mai. Christian se réveilla dans les bras de Marie comme tous les matins depuis la soirée de leurs retrouvailles. Il se réveilla avant elle, et la contempla en train de dormir. Cette fois, il se souvenait de tout dans le moindre détail. Elle ouvrit les yeux quelques minutes plus tard, le regarda un bref moment et puis se blottit contre lui en chuchotant : « Bonjour toi ! »

Il répondit doucement : « Bonjour ! »

— Ça fait longtemps que t'es réveillé ?

— Je n'en ai pas la moindre idée, répondit-il. J'étais perdu dans mes pensées, et le temps m'a échappé.

— Et tu pensais à quoi ?

— Je viens de faire un rêve étrange », dit-il en secouant légèrement la tête, comme pour signifier que c'était sans importance.

Elle s'écarta pour pouvoir voir son visage pendant que se dessina sur le sien un air curieux et intéressé.

« Tu me racontes ?

— La science des rêves fait aussi partie de l'éventail[403] de ma brillante mathématicienne ? » demanda-t-il en souriant.

Elle lui fit un clin d'œil en rétorquant : « Tu n'as pas idée de l'étendue de mon éventail ! »

Son sourire s'élargit : « Alors je te raconte. J'étais dans un désert de dunes infini. Le soleil qui brillait fort au-dessus de ma tête était étrangement bleu. Je marchais – et là il s'arrêta un bref moment comme s'il cherchait ses mots – sans aucune certitude, jusqu'à ce qu'apparaisse, sortie de nulle part, une maison blanche aux volets[404] bleus. Je pressai le pas pour y arriver, et là, un cobra géant sortit des profondeurs de la terre et m'attaqua. Je n'avais rien pour me défendre, sauf cinq euros et quatre-vingts centimes, et un œuf dans ma poche. Je lui lançai l'œuf, et aussi surprenant que cela puisse l'être, ce lancer d'œuf suffit à le renvoyer sous terre. »

Marie, qui avait pourtant appris à dédramatiser toutes les histoires qui tournaient autour des œufs, eut le pressentiment d'un événement imminent[405]. Mais à peine ce pressentiment naissait-il qu'il fut avorté[406] par la rigueur de son esprit scientifique.

« Cinq euros quatre-vingts, rit-elle amusée. Mon

___

403. Éventail (n.m.) : *Ensemble de choses, ici, ensemble des compétences, des talents de Marie.*
404. Volet (n.m.) : *Panneau en bois ou en métal qui sert à fermer une fenêtre.*
405. Imminent (adj.) : *Sur le point d'arriver.*
406. Avorté (adj.) : *Interrompu.*

pauvre, je vais demander au professeur Durand d'augmenter ta bourse[407]. »

Il rit à son tour, lui attrapa les poignets et dit : « Moqueuse ! Tu as gagné le droit d'être chatouillée pour les bêtises que tu racontes.

— Ah non ! S'il te plaît, s'il te plaît ! » dit-elle en se débattant avant de s'étouffer de rire quand ses doigts lui pincèrent les reins.

Quelques minutes plus tard, ils prenaient le café dans le salon. L'espace baignait dans un soleil rayonnant, et les nuages d'été déjà parsemés dans le ciel présageaient[408] de bons jours. Ils regardèrent les tableaux qui se gorgeaient[409] de soleil et en devenaient plus lumineux.

« J'en connais une qui attend la fin de sa journée avec impatience, dit Christian.

— Tu m'étonnes ! s'enthousiasma-t-elle. C'est la première fois qu'il expose à Paris.

— Je sais, répondit-il. Figure-toi[410] que ce peintre n'a plus de secret pour moi, je me suis connecté sur Internet et j'ai fait quelques recherches. »

Elle leva sa tasse à sa bouche : « Alors ?

---

407. Bourse (n.f.) : *Ici, somme d'argent que reçoit un étudiant pour financer ses études.*
408. Présager (v.) : *Annoncer, prédire.*
409. Se gorger (v.) : *Se remplir.*
410. Se figurer (v.) *Imaginer.*

— Alors, rien de bien particulier. C'est vrai qu'elles sont très intéressantes, ses œuvres. Je crois même que tu détiens[411] dans ton salon trois pièces de collection d'une grande valeur. Mais j'ai toujours eu un penchant très fort pour les formes écrites de l'expression humaine, pour l'univers des mots.

— Mais toi pour qui certaines équations ne se soumettent à aucune loi terrestre, ne penses-tu pas que mettre des mots sur les émotions et les sentiments humains est la plus irréaliste des équations ?

— Au contraire. Je n'ai jamais considéré les mots comme une contrainte, et le langage comme une loi, dit-il en portant la tasse à sa bouche à son tour. Mettre des mots sur des émotions est le plus grand défi pour l'imagination d'un homme, non pour sa raison. Il ne s'agit pas d'équation, mais d'invention, d'invocation. Les mots ont toujours eu pour moi un goût, une couleur, une forme. On peut peindre avec des mots si on les écoute bien, comme on peut parler avec des peintures si on les regarde de près. Sauf que les peintures parlent le langage secret de leur peintre. Dans un sens – et il pointa les tableaux du doigt – cet homme parle, invente le mélange des formes et des couleurs. Il parle, mais je ne saisis pas son message.

— Tu lui demanderas ce soir quand tu le verras. »
Il sourit et dit : « Je n'y manquerai pas. »

----

411. Détenir (v.) : *Avoir, posséder.*

Elle attrapa sa main, et l'embrassa : « Tu vas à la fac[412] ce matin ?

— Oui, j'ai un point avec ce cher Louis.

— Tu veux qu'on se retrouve directement à la galerie Chaumont, ou tu passes ici et on part ensemble ?

— Tu reviens vers quelle heure ?

— Vers 18 heures.

— Je reviendrai vers 18 heures alors. De toute façon, je n'ai rien à faire cet après-midi. La fameuse équation m'a mis au chômage technique[413]. »

Elle leva un sourcil avec malice : « Ne t'en fais pas trop pour ton équation. »

Ses yeux s'illuminèrent d'un coup. « Non ! Tu as réussi ??

— Trop tôt encore pour se prononcer, mais je suis sur une bonne piste. »

Un large sourire se dessina sur sa bouche :

« Continue alors. Continue ta marche vers la certitude, et souviens-toi, jamais il n'a été question d'équation, mais d'invention, d'invocation, de couleurs ! »

---

412. Fac (n.f.) : *Université (abréviation de « faculté »).*
413. Chômage technique : *Absence de travail pour des raisons techniques (ici parce qu'il doit d'abord attendre le résultat de l'équation).*

En aparté 3

Robert Delaunay :
« Délire
L'Alchimie du verbe
J'inventai la couleur des voyelles
Je réglai la forme et le mouvement
De chaque consonne et avec des rythmes
Instinctifs je me flattai d'inventer un verbe
Poétique accessible un jour ou l'autre
À tous les sens je réserverai la traduction. »

Chapitre Vingt

Ils se quittèrent au pied de son immeuble. Elle prit sa voiture pour aller à Cachan, et lui le bus pour aller jusqu'à Jussieu. Avant de grimper dans le bus, Christian remarqua le magasin de fleurs de l'autre côté de la rue, et se dit que par ce beau temps, les tulipes devaient être jolies. Il décida d'en acheter un bouquet pour l'offrir à Marie à son retour.

Le bus démarra lentement et finit par rouler n'importe comment, comme roulent tous les bus parisiens. Il s'assit près de la fenêtre et regarda à travers les rayons du soleil le spectacle de la rue.

Quelques arrêts plus tard, une jeune femme monta avec une poussette. Dans la poussette reposait un bébé qui n'appréciait pas la façon de faire du conducteur, et le fit savoir en pleurant, contrairement à tous ceux qui avaient l'usage de la parole et qui pourtant subissaient en silence les ballottements[414] du bus.

---

414. Ballottement (n.m.) : *Balancement.*

Christian regarda d'un œil curieux et attentif la mère qui prit son bébé dans ses bras et le posa contre sa poitrine. Elle le berça avec douceur, et au fur et à mesure de ses mouvements délicats, les protestations de l'enfant s'estompèrent[415].

La maternité restait pour lui un grand mystère. Depuis que le colonel Boblé lui avait révélé le secret de son adoption la veille de son envol, il vivait dans l'incompréhension de son abandon. Il était à peine né, qu'il avait déjà été jugé et condamné. Le poids de cette damnation[416] l'avait accompagné tout au long de son existence et l'avait isolé de la foule dont le bruit résonnait comme le brouhaha[417] d'un jugement imminent. En se disant qu'il était l'enfant de ce monde, il avait cessé de cogiter[418] sur ses origines et avait oublié qu'un jour, il avait logé dans le ventre d'une femme.

Il descendit du bus à Jussieu, parcourut les couloirs de la fac jusqu'au département de recherche en physique quantique.

Arrivé devant le bureau du professeur, il frappa trois petits coups à la porte. Il entendit sa voix : « Entre, Christian ! »

Christian sourit, ouvrit la porte et pénétra dans le bureau.

---

415. S'estomper (v.) : *S'atténuer, diminuer.*
416. Damnation (n.f.) : *Punition, condamnation.*
417. Brouhaha (n.m.) : *Bruit confus.*
418. Cogiter (v.) : *Réfléchir, penser.*

« Tu as toujours la main légère quand tu frappes à ma porte, dit le professeur Durand derrière ses petites lunettes, heureusement que je ne suis pas encore sourd. »

Christian avança vers le professeur et lui serra la main.

« J'ai peur de vous déranger, professeur.

— Mais tu me déranges, Christian, tu me déranges, mais dans le bon sens du terme. Je t'en prie. »

Christian s'assit en face de son professeur.

« Alors, dit-il, tu as été voir le docteur Rimbaud ? »

Christian sourit quand il entendit la façon dont le professeur désignait Marie. Docteur Rimbaud. Combien d'appellations peut-on donner à un seul être ? De combien d'appellations un être a-t-il besoin pour exister ?

« Oui, répondit-il. J'ai rencontré le docteur Rimbaud la semaine dernière. »

Le docteur saisit les fines branches de ses lunettes, les mit sur son front et dit avec empressement[419] : « Et alors ?

— Alors elle dit qu'elle a une piste, et elle est en train de l'explorer.

— Une piste, bien sûr qu'elle a une piste. Cette femme est incroyable. C'est l'esprit le plus carré et le plus tranchant qu'il m'ait été donné de rencontrer, contrairement au tien d'ailleurs. »

---

419. Empressement (n.m.) : *Hâte, fait de se dépêcher.*

Le sourire de Christian s'élargit à la remarque de son professeur, qui avait toujours l'art de commenter sans qu'on sache vraiment s'il complimentait ou s'il se moquait. Mais cette fois, son professeur alla au bout de sa pensée. Il se pencha et le regarda dans les yeux : « Le tien, Christian, est sur une lune lointaine, encore inconnue. Tu vois des choses que tu es le seul à voir, tu abordes la physique comme de la poésie. Quand je lis tes travaux, le cheminement de tes raisonnements, la rédaction de tes chapitres, j'ai l'impression de plonger dans un conte de princes, de princesses et de tapis volants. Je pense que vos esprits, le tien et celui du docteur Rimbaud, sont d'une complémentarité précieuse. »

Christian ne savait plus où se mettre. Avoir des louanges[420] de la part du professeur Louis Durand était un événement aussi fréquent que le passage dans le ciel terrestre de la comète de Halley. Il eut une pensée pour le colonel Boblé et se dit que d'où il était, il devait être fier de lui. Et étrangement il revit le bébé du bus, et se demanda si quelque part, il y avait une mère qui pouvait aussi être fière de lui.

« Je vais contacter quelques revues scientifiques pour leur proposer la publication d'un résumé de tes travaux. Il faudra que tu me prépares ça pour la mi-juin.

— Ce n'est pas un peu tôt, professeur ? demanda Christian.

420. Louange (n.f.) : *Compliment.*

— Tôt? Le monde appartient à ceux qui se lèvent tôt. Je n'ai aucun doute sur la capacité du docteur Rimbaud à venir à bout de cette équation.» Il prit un air sérieux et articula lentement:

«Est-ce que tu mesures ce que sa résolution signifierait pour la suite de ta carrière?»

Christian répondit avec simplicité: «La fin de ma thèse.

— Idiot! sourit le professeur Durand avec affection. Si la solution de cette équation voit le jour, tu es bon pour être candidat au prix Nobel.»

Chapitre Vingt et un

C'était le 17 mai. Rima arriva au magasin avec des croissants à 9 heures du matin. Elle n'avait pas fermé l'œil de la nuit, pensant à Milan et son exposition à la galerie Chaumont. Elle imaginait leur rencontre, après vingt-cinq ans de séparation, imaginait les marques du temps sur son visage, les mots qu'ils se diraient, les réactions qu'ils auraient. Et quand la fatigue finit par alourdir ses paupières, son réveil sonna.

Moussa était déjà debout et en train de ranger l'intérieur quand elle remonta les stores[421] métalliques du magasin. Il s'était surpris lui-même à se lever tôt le matin pour faire la prière, lui dont le front n'avait jamais frôlé[422] le sol et qui peu de temps auparavant, quand l'aurore s'élançait dans le ciel de Tunis pour lui apporter la lumière du jour, insultait les ancêtres des ancêtres du

421. Store (n.m.): *Rideau qu'on lève ou qu'on abaisse en le déroulant.*
422. Frôler (v.): *Toucher légèrement, passer très près de quelque chose.*

Haj Rjab, le muezzin de la ville. Ce dernier appelait à la prière du fajr[423] avec sa voix de ténor depuis le minaret[424] de la mosquée d'Ezzitouna, et le ponctuait par le classique : « La prière est meilleure que le sommeil. » Et pendant ce temps-là, Moussa grognait au fond de son lit, réveillé par les recommandations du Haj : « Tu dis ça parce que tu n'as jamais fait de grasse mat[425], imbécile ! » C'est ainsi que certaines pratiques prennent du sens loin de leur lieu de naissance !

« Bonjour Rima ! dit-il avec enthousiasme.

— Bonjour Moussa, dit-elle d'une voix à peine audible. Tiens, je t'ai apporté des croissants. »

Moussa prit le petit sac en papier et le posa à côté.

« Y a des roses qui dorment ici depuis une semaine et pourtant elles sont plus fraîches que toi ! Quelque chose ne va pas ?

— Ben justement, dit-elle, je n'ai pas dormi de la nuit. Je n'arrête pas de penser à l'exposition.

— Et pourquoi ça t'empêcherait de dormir ?

— Parce que... – elle le regarda avec incompréhension – parce que je ne sais pas si je dois y aller. Et si je vais le voir, je ne sais pas comment ça se passera... »

Moussa hocha la tête : « Rima, t'as grandi à Sidi Bou, n'est-ce pas ?

---

423. Prière du fajr : *Dans l'Islam, la première prière de la journée.*
424. Minaret (n.m.) : *Tour d'une mosquée.*
425. Grasse mat (expr.) : *Abréviation de « grasse matinée » ; fait de dormir tard.*

— Oui.

— Sidi Bou, c'est la terre de tous les destins. Tu dois accepter le tien. Il est déjà tout tracé. Ne te pose pas trop de questions, ne te demande pas si tu dois aller à cette exposition ou pas. Si tu dois y aller, si le Tout-Puissant l'avait décidé dans ses desseins[426], tes pieds t'y amèneront sans même te demander la permission. »

Rima le regarda, déconcertée : « Tais-toi et mange tes croissants avant qu'ils ne refroidissent.

— 19 heures ! » Il mordit dans son croissant.

« 19 heures ! Tu verras bien ce qui se passera d'ici là. Les journées en ce moment sont plus longues. »

---

426. Dessein (n.m.) : *Projet.*

Chapitre Vingt-deux

Christian quitta le bureau du professeur Durand avec la ferme volonté de ne pas penser à ce qu'il venait de lui annoncer. Il traîna dans les rues de Paris pour se vider la tête, et d'un coup son esprit s'illumina d'une idée qui sonnait comme une évidence. Il regarda sa montre, il était 10 h 30. J'ai le temps, pensa-t-il. Il accéléra le pas jusqu'à la première bouche de métro et se rendit à la gare de Lyon. Il s'arrêta à un guichet et s'acheta un billet aller-retour. Le train partait dans le quart d'heure qui suivait comme si tout était calculé à l'avance. Il est temps, se dit-il, que je retourne là où j'ai grandi. Il est temps que je retourne sur les hauteurs de la colline aux coquelicots.

Le TGV serpenta[427] à travers les champs et sa vitesse fit perdre la tête aux vaches habituées à suivre avec leurs grands yeux les lents trains de jadis. Il posa

---

427. Serpenter (v.) : *Zigzaguer, avancer en faisant des courbes et des virages.*

la tempe[428] contre la vitre et regarda défiler les arbres et les paysages qui, quelquefois, perdaient toute forme devant l'incapacité de ses yeux à s'en imprégner.

Trois heures plus tard, il descendait du train. Il déambula dans les rues baignées dans le soleil du printemps, et se revoyait enfant, courant dans telle cour, donnant la main au colonel sur tel trottoir, bouquinant sous tel arbre. Peu de choses avaient changé au fond, sentit-il. En regardant autour de lui, il trouva la réponse à la question qu'il s'était posée une nuit, nu devant la glace. Oui, je suis le même, je suis toujours le même, je suis le prolongement de cet enfant.

Il arpenta le chemin de la colline qui menait à sa maison. Les coquelicots se dressaient paisiblement et s'ouvraient au soleil. Il lui semblait les entendre chuchoter avec une pointe de doux reproche : « Nous avons cru que tu nous avais oubliés ! », et il s'excusa en les regardant avec tendresse.

Arrivé devant la porte, il s'arrêta quelques instants et ferma les yeux. Il sortit le jeu de clefs qu'il avait toujours sur lui, comme s'il pressentait la soudaineté de son retour. Il mit la clef dans la serrure et la tourna, respira profondément et poussa la grande porte en bois. Sous la poussée, la porte grinça comme si elle protestait :

« Doucement, je suis rouillée[429], ça fait dix ans que

---

428. Tempe (n.f.) : *Partie du côté de la tête, entre l'œil et l'oreille.*
429. Rouillé (part. passé) : *Pour un métal, être abîmé à cause de l'humidité, au sens figuré, avoir perdu sa souplesse.*

personne ne m'a touchée ! », et il s'excusa en la regardant avec tendresse.

Tout était comme dans son dernier souvenir. À la mort du colonel, Christian n'avait pas bougé la moindre de ses affaires ; il avait ainsi eu l'impression que ce dernier vivait encore avec lui les quelques mois qui précédèrent son départ vers Paris. Ses lunettes étaient posées sur la table basse du salon, en face du vieux rocking-chair qui semblait encore se balancer, sa pipe et son tabac sur le buffet[430] en face de la terrasse, et ses chaussons sous le lit. Dans un coin du salon reposaient le drap bleu ciel et la corbeille où autrefois il avait été déposé.

Il entra dans sa chambre. Il saisit quelques cahiers sur son bureau, s'assit sur le lit et les ouvrit. Il parcourut les pages dans une nostalgie grandissante, et tomba sur ses premiers calculs de thermodynamique et ses théories sur l'ébullition humaine. Il était noté :

« Axiome numéro 1 : Tout être humain est une molécule à plus grande échelle.

Axiome numéro 2 : Les lois de la thermodynamique s'appliquent à tout type de molécules, donc en particulier aux êtres humains. »

Il sourit, ferma le cahier et se leva. En marchant vers la terrasse, il constata les rayons vides de la bibliothèque, et pensa aux milliers de livres entassés dans la

---

430. Buffet (n.m.) : *Meuble où l'on range généralement de la vaisselle.*

chambre de son appartement parisien. Il murmura : « Il faudra que je mette fin à cet exil. Ces livres seront mieux ici », et en s'écoutant parler, il ne savait plus s'il parlait des livres ou de lui-même.

Il sortit sur la terrasse et observa la ville. Les maisons étaient en train de bâiller[431] leur bonheur sans se préoccuper du temps qui passe. Sur chaque toit, il y avait un chat de gouttière[432] qui faisait la sieste et se fichait[433], depuis la hauteur de son trône, de la marche délirante du monde. Plus loin commençaient des champs d'oliviers d'une nonchalance inouïe[434]. Les oiseaux qui volaient dans le ciel semblaient glisser sans effort, portés seulement par les rayons du soleil. Il murmura : « Il faudra que je mette fin à cet exil. »

Il se rendit au cimetière et constata avec reconnaissance que la ville n'avait pas oublié son histoire. Les tombes du colonel Boblé et de Rose étaient débarrassées des mauvaises herbes et des bouquets de fleurs y étaient disposés. Il se recueillit[435] quelques minutes et ne put empêcher ses larmes de couler.

Il était 15 heures. Il repassa par la maison, récupéra la corbeille et le drap bleu ciel pour se rappeler d'où

---

431. Bâiller (v.) : *Ouvrir la bouche en grand, généralement à cause du sommeil ou de l'ennui.*

432. Chat de gouttière : *Chat errant, de race indéterminée.*

433. Se ficher (v.) : *Se moquer. (fam.)*

434. Inouï (adj.) : *Incroyable.*

435. Se recueillir (v.) : *Méditer, rentrer en soi-même pour se concentrer sur ses pensées.*

venait cet homme à qui on avait annoncé sa possible nomination au prix Nobel. Trois heures plus tard, il était à Paris.

Il se dirigea directement vers la porte des Lilas pour aller chercher Marie. Dans quelques minutes, il serait avec elle à l'exposition de ce fameux peintre. Sur le chemin, il s'arrêta à la boutique de fleurs qu'il avait aperçue plus tôt le matin. Il poussa la porte et la petite sonnette retentit au-dessus de sa tête. Il n'y avait personne derrière le comptoir. Il y posa la corbeille et le drap bleu ciel et dit à voix haute, en même temps qu'il fouillait dans ses poches : « Bonjour ! »

Il sortit de sa poche la monnaie qui lui restait après l'achat des billets de train. Il compta la somme. Il y avait exactement cinq euros quatre-vingts centimes !

Chapitre Vingt-trois

Rima regarda l'heure sur l'horloge murale[436] du magasin. Il était 18 h 12. Inlassablement, les aiguilles continuaient leur mouvement circulaire, annonçant l'arrivée très prochaine de l'heure fatidique[437]. Elle respira profondément et se sentit envahie par une sérénité[438] céleste. Advienne que pourra[439], j'irai à cette exposition, se décida-t-elle.

Moussa était en train de faire la troisième de ses cinq prières quotidiennes quand la petite sonnette retentit pour annoncer la venue d'un client. Perdue dans ses pensées, Rima ne l'entendit pas, mais le «bonjour» qui résonna dans la boutique la réveilla, elle se leva et alla vers le comptoir, et là, elle vit Christian. Elle vit son fils.

---

436. Mural (adj.) : *Fixé sur un mur.*
437. Fatidique (adj.) : *Marqué par le destin.*
438. Sérénité (n.f.) : *Grand calme, tranquillité.*
439. Advienne que pourra (expr.) : *Peu importe quel sera le résultat.*

Seul le cœur d'une mère peut pressentir certaines vérités de ce monde, et celui de Rima s'affolait malgré elle à la vue du jeune homme qui se présentait devant elle. Pourquoi s'agitait-il? se demanda-t-elle en regardant Christian. Il était debout derrière le comptoir, en train de compter la monnaie éparpillée[440] sur la paume de sa main, et certains de ses traits semblaient invoquer son passé. Ces yeux noirs à moitié clos n'étaient-ils pas ses yeux de jeune fille rêveuse? Ce nez droit n'était-il pas le nez révolutionnaire de Milan? Mais c'est quand elle vit sur le comptoir la corbeille et le drap bleu ciel, qu'elle comprit l'empressement de son cœur, et arriva enfin à entendre ce qu'il lui susurrait[441] entre ses battements. C'est ton fils! lui dit-il, c'est ton fils!

Sa voix la sortit de ses pensées, et sa raison, qui déchiffrait au fur et à mesure le sens des mots, reprit progressivement le dessus sur son cœur. N'écoute pas ce fou, lui ordonna-t-elle, n'écoute pas cet insensé! Des corbeilles à fruits, il y en a chez tous les primeurs[442]! Un drap bleu ciel, tout le monde en possède! Il suffit de mal dormir pour avoir les yeux à moitié clos, et puis enfin, depuis quand un nez droit est-il l'empreinte d'une révolution? Sers ce client plutôt, il veut des tulipes.

---

440. Éparpillé (adj.): *Dispersé.*
441. Susurrer (v.): *Murmurer doucement.*
442. Primeur (n.m.): *Vendeur de fruits et légumes.*

«Bonjour madame, je voudrais un bouquet de tulipes blanches, s'il vous plaît.

— Bien sûr, monsieur! Vous voulez combien de tulipes dans votre bouquet?» demanda-t-elle, essayant de se dominer avec ses répliques commerçantes.

«Une dizaine, ça ira.»

Elle réveilla les tulipes blanches et en sortit dix belles de leurs siestes. Elle les égoutta, les défeuilla, les rassembla, et en fit un joli bouquet.

«Ça vous fera quinze euros, s'il vous plaît.»

Christian regarda les pièces de monnaie dans la paume de sa main et eut l'impression qu'elles lui tiraient la langue. Il les rangea dans sa poche.

«Je peux vous payer par carte?

— Bien sûr!»

Il sortit sa carte de son portefeuille et la tendit à Rima, et là, le pressentiment de son cœur devint une vérité absolue. Je te l'avais dit que c'était lui, semblait-il lui dire. En effet, sur la carte qu'elle tenait, était écrit son nom en relief. Christian Boblé. Il portait le nom du colonel à qui elle l'avait confié vingt-cinq ans auparavant.

Chapitre Vingt-quatre

Tremblante, elle leva les yeux vers lui : « Christian Boblé ?

— Oui, c'est moi », répondit-il en souriant avec incompréhension.

La gravité de la terre est quelquefois plus grande que ce que prétend la mécanique de Newton. Elle sentit d'un coup le poids de chaque cellule qui composait son corps, et de chaque instant qui composait son histoire. Elle s'appuya contre son comptoir, respira profondément et dit : « J'ai connu un grand homme qui portait le même nom que vous. » Elle lui tendit le terminal de paiement[443] et poursuivit : « Un colonel qui habite ma ville d'enfance. »

Christian prit le terminal en regardant Rima dans les yeux. Il avait l'impression qu'elle avait toute son âme

---

443. Terminal de paiement : *Appareil qui permet de payer par carte bancaire.*

accrochée à la pointe de ses cils[444]. Il appuya ses mots :
« Qui habitait la ville de votre enfance ? Le colonel
Boblé habite le ciel depuis dix ans déjà. » Puis il lui fit
un sourire en composant son code sur le terminal : « Moi
aussi je viens de cette ville. » Il le lui rendit en disant :
« Et j'y étais encore il y a trois heures.

— Vous êtes alors parent du colonel ? demanda-
t-elle avec empressement.

— En effet, je suis de sa famille. » Il s'arrêta un
bref moment et reprit : « À vrai dire, je suis son fils. »

Non, tu es mon fils ! voulait-elle crier de toute son
âme, mais le poids de sa culpabilité et de toute son histoire se posèrent sur sa langue, et elle ne put prononcer
le moindre mot. Elle lui présenta le bouquet, et quand
il le saisit de ses mains, elle les saisit avec les siennes, et
les pressa avec tout l'amour et la culpabilité nourris par
un quart de siècle passé sur les routes de la perdition et
du non-sens. Elle le regarda dans les yeux et demanda
d'une voix suppliante : « Me feriez-vous le plaisir de
revenir m'acheter des fleurs ?

— Certainement, madame. »

Il la regarda un instant puis retira ses mains doucement. « Au revoir, madame. »

Il se retourna et sortit de la boutique. La sonnette
qui annonçait son arrivée retentit de nouveau pour dire
qu'il s'en allait.

---

444. Cil (n.m.) : *Poil situé au bord des paupières.*

Chapitre Vingt-cinq

Elle rentra dans l'arrière-boutique comme une tornade : « Lève-toi, Moussa, il n'y a pas une seconde à perdre ! »

Moussa garda son front plaqué contre le sol. Il protesta : « Qu'est-ce qui se passe ? Tu ne vois pas que je suis en train de prier ? »

Rima l'attrapa par les épaules et l'arracha à sa prière : « T'auras toute la vie pour prier, mais là, il faut que tu viennes avec moi, j'ai besoin de toi. »

Moussa se laissa traîner dehors en maugréant[445] : « On va où comme ça ? » Puis au bout de quelques pas, il s'arrêta : « Tu ne fermes pas la boutique ? »

Rima se retourna et le regarda dans les yeux : « Mon fils vient de sortir de la boutique à l'instant. »

Moussa secoua la tête comme s'il cherchait à donner un autre sens dans son esprit aux mots qu'il venait d'entendre, et lâcha : « Quoi ??

---

445. Maugréer (v.) : *Montrer sa mauvaise humeur, pester, bougonner.*

— T'as très bien entendu, répondit-elle en lui saisissant le bras. Il vient de m'acheter un bouquet de tulipes. Il faut qu'on le rattrape!»

Moussa se laissa emporter en priant Dieu que Rima ne soit pas devenue folle à cause de l'exposition imminente de Milan. Elle avançait en balayant du regard[446] la place, s'arrêta d'un coup et dit en secouant le bras de Moussa: «Tu le vois?

— Il est où?

— Là, en face, cria-t-elle, avec le bouquet de tulipes!»

En effet, il n'était pas difficile de rattraper Christian. À peine sorti du magasin, il s'arrêta de longues secondes pour essayer de comprendre le sens de la coïncidence[447] qui l'avait mis devant cette femme juste après son retour de la colline aux coquelicots, le sens de ses mots, de ses gestes et de sa prière. Depuis qu'il était arrivé à cette équation, il avait l'impression que s'arrêtait là sa maîtrise des choses, qu'il naviguait désormais dans la vie comme un voilier[448] pris par des vents hasardeux. Mais ces vents, aussi hasardeux qu'ils puissent paraître, ne le mèneraient-ils pas là où il fallait finalement *être*?

Il sentait encore sur ses mains les mains de cette femme, et sur lui son regard. Tout lui semblait d'une

---

446. Balayer du regard (expr.): *Regarder à droite et à gauche.*
447. Coïncidence (n.f.): *Événements qui se produisent en même temps, par hasard.*
448. Voilier (n.m.): *Bateau à voile.*

cohérence absolue mais il avait l'esprit trop confus pour voir avec clarté. Il se décida à repasser un autre jour.

Il arriva finalement devant l'immeuble de Marie avec Rima et Moussa à ses trousses, composa le code et entra. Pendant qu'ils le suivaient, Moussa dit à Rima : « Tu es sûre que c'est lui ? »

Rima lui pinça le bras. « Tu vas arrêter, oui ?

C'est lui ! Tu vois la corbeille qu'il porte de la main droite ? C'est la corbeille où je l'ai mis, il y a vingt-cinq ans, quand je l'ai posé sur le pas de la porte du colonel. »

Ils s'arrêtèrent devant l'immeuble. Quelques minutes s'écoulèrent et il n'y avait dans le monde pour Rima que cet immeuble et le fils qui était dedans. Moussa la sortit de ses pensées : « On fait quoi maintenant ? On sonne ?

— Je ne sais pas, Moussa, répondit-elle, je ne sais pas. »

Moussa, dont les yeux étaient habitués à repérer les balcons des immeubles, souffla : « Regarde là-haut, au troisième, c'est lui non ?

— Oui c'est lui », confirma-t-elle, les yeux rivés[449] sur le balcon.

Mais Christian ne resta pas longtemps au balcon. Cinq minutes plus tard, la porte du parking de l'immeuble s'ouvrit lentement, et ils le virent en sortir au volant d'une voiture.

---

449. Rivé (adj.) : *Attaché, fixé.*

«Il vient de partir», dit Moussa.

Après quelques secondes de silence, Rima se tourna vers Moussa et le chargea[450] avec un regard plein de détermination : «Moussa, il faut que je rentre dans cet appartement, il faut que je m'assure que je n'ai pas rêvé !»

Moussa la sentit venir : «Et tu vas rentrer comment ?

— Tu vas grimper jusqu'au balcon et tu vas m'ouvrir la porte de l'intérieur.» Puis elle coupa le début de protestations de Moussa avec un sourire maternel. «Tu vas grimper jusqu'au balcon comme un chat de Tunis. T'es bien un chat de Tunis, non ?»

Moussa grogna en retroussant[451] ses manches :

«Et si je tombe et que je me brise le cou ?

— Avec tout ce que tu pries, tu iras au paradis, répondit-elle.

— Et si quelqu'un me voit et appelle la police ?

— Ici les gens meurent dans la rue et personne ne les regarde rendre l'âme[452]. Ceux qui te verront feront comme s'ils n'avaient rien vu.»

Moussa finit par sourire : «Que Sa volonté soit faite, va m'attendre au troisième.»

Elle l'embrassa et partit. Moussa examina les étages et se rappela son meddeb[453] à l'école coranique.

---

450. Charger (v.) : *Ici, affronter.*
451. Retrousser (v.) : *Relever, remonter.*
452. Rendre l'âme (expr.) : *Mourir.*
453. Meddeb : *Maître de l'école coranique.*

Ce dernier disait que lors de son jugement dernier, Allah punissait ceux qui maltraitaient ses bêtes en leur infligeant le même traitement qu'ils leur avaient fait subir. Ainsi, dans l'enfer des pécheurs, celui qui affamait les animaux se verra à son tour affamé, celui qui leur jetait des pierres, lapidé[454], et celui qui les pourchassait sans raison, pourchassé et dépecé[455]. Le voilà, le châtiment divin ! Le voilà lancé dans l'espace pour grimper jusqu'au balcon comme il l'avait fait faire aux chats de Tunis ! Cette punition anticipée[456] le rassura. Allah Le Clément[457] avait donc entendu ses prières ! Il l'acquittait[458] de ses péchés dans le monde des mortels, pour qu'il arrive, dettes payées, à celui de la vie éternelle. Il leva vers le ciel des yeux reconnaissants et exprima par un court verset toute sa gratitude. Léger comme une plume, il grimpa les trois étages de l'immeuble. À peine trois minutes plus tard, il ouvrait à Rima la porte de l'appartement.

---

454. Lapidé (adj.) : *Tué à coups de pierre.*
455. Dépecé (adj.) : *Découpé en morceaux.*
456. Anticipé (adj.) : *En avance.*
457. Clément (adj.) : *Indulgent, qui pardonne.*
458. Acquitter (v.) : *Rendre quitte, il n'aura plus besoin de payer pour ses fautes après sa mort.*

Chapitre Vingt-six

Christian frappa à la porte. Quelques secondes s'écoulèrent avant que Marie n'ouvrit.

« Tu es en retard, dit-elle en souriant.

— Oui, je sais. » Il lui tendit le bouquet de tulipes. « Tiens, cela devrait me faire pardonner. »

Marie prit le bouquet avec joie et l'embrassa.

« Merci ! »

Il entra et ensemble, ils marchèrent les quelques pas qui séparaient le vestibule[459] du salon.

Elle lui demanda : « C'est quoi, cette corbeille ?

— Je te raconterai toute l'histoire plus tard », murmura-t-il en la posant sur la table.

Elle attrapa un vase et alla le remplir d'eau. Il entendit sa voix depuis la cuisine. « Je suis prête, on y va dans deux minutes.

— J'ai le temps de fumer une clope ? »

---

459. Vestibule (n.m.) : *Entrée d'une maison.*

Sa voix se rapprocha : « Oui, mais ça sera sur la terrasse, alors. »

Puis elle apparut dans le salon avec le vase fleuri.

« Je pensais que tu avais arrêté.

— Ce sera ma dernière », dit-il en ouvrant les portes-fenêtres. Il regarda son paquet et vit la cigarette orpheline qu'il se refusait à fumer depuis deux semaines. C'était la dernière du paquet.

Il l'alluma et la fuma en silence. Il l'avait presque finie quand Marie le rejoignit : « On est partis ? »

Il regarda sa clope comme s'il lui disait adieu et tira une dernière taffe[460].

« On est partis. »

Ils prirent la voiture. Une demi-heure plus tard, ils étaient à la porte de la galerie.

Les lumières étaient tamisées. Les spots qui se tenaient au-dessus de chacun des tableaux déversaient leurs rayons et les mettaient en valeur par un contraste d'ombre et de lumière. La musique, qui emplissait l'espace sonore, était un étrange mélange à peine audible d'une voix profonde récitant des proses[461] et d'un piano nerveux voyageant sans cesse entre les notes graves et aiguës. Il y avait déjà quelques dizaines de personnes

---

460. Taffe (n.f.) : *Bouffée de cigarette (tirer une taffe : aspirer, prendre une bouffée). (fam.)*
461. Prose (n.f.) : *Texte qui n'est pas soumis au rythme de la poésie.*

qui, flûtes[462] de champagne à la main, s'arrêtaient devant les tableaux et en discutaient avec un intérêt évident.

« Le voilà, ton artiste », murmura-t-il en désignant du regard un homme entouré d'une poignée de journalistes. Il avait la tête et la barbe blanchies par le temps qui passe, et dans ses yeux brillants, malgré son sourire, ce fond triste et indélébile[463].

« Viens, on va le voir », le traîna-t-elle en lui tenant la main.

Et il se laissa traîner jusqu'à l'homme qu'il ignorait être son père. Marie s'approcha et attendit patiemment que Milan eût fini de répondre aux quelques questions qu'on lui posait. Christian le regarda puis balada son regard sur les murs. Il ne put s'empêcher de repenser à la fleuriste. Milan conclut avec un accent de l'Est :

« Voilà, je m'étendrai[464] plus tard sur certaines questions, je vous laisse profiter de l'exposition. Merci. »
Les journalistes le remercièrent à leur tour, et pendant qu'ils s'écartaient, Marie s'avança en tendant la main.

« Bonjour M. Maratka, salua-t-elle d'une voix pleine d'enthousiasme.

— Bonjour madame », répondit Milan en lui serrant la main.

---

462. Flûte (n.f.) : *Ici, verre à champagne.*
463. Indélébile (adj.) : *Qui ne peut pas s'effacer.*
464. S'étendre (v.) : *Ici, parler plus longuement.*

Marie ne la relâcha pas : «Je me présente, je suis Marie Rimbaud, et je suis une grande admiratrice de vos œuvres.

— Je suis toujours ravi d'apprendre qu'on trouve de l'intérêt à ce que je fais, sourit-il.

— J'espère que je pourrai acquérir un de ces tableaux pour élargir ma petite collection, rétorqua-t-elle en souriant à son tour.

— Vous collectionnez ? demanda-t-il

— J'ai de vous trois vieux tableaux que vous avez peints à Paris », dit-elle, fière.

Son regard s'illumina pendant quelques secondes et il souffla : «Ah, ceux-là. Vous dites que vous les avez.»

Et cette fois c'était lui qui ne lâchait pas sa main.

«Ils sont accrochés au mur de mon salon, ajouta-t-elle.

— Et vous habitez loin ?

— À une demi-heure d'ici, à peu près.

— Me feriez-vous l'honneur de me les montrer ? Ces tableaux sont tellement chers à mon cœur.

— Certainement, avec plaisir, quand vous voulez, répondit-elle.

— Maintenant », pria-t-il.

Son sourire s'élargit : « Maintenant ?»

Elle le regarda et vit l'insistance dans ses yeux. «D'accord, nous sommes partis, alors.»

Elle se retourna et attrapa Christian par le bras.

«M. Maratka, je vous présente Christian Boblé, mon fiancé», dit-elle en cherchant du regard son approbation[465].

Christian tendit la main et serra celle de Milan : «C'est moi !

— Enchanté», répondit Milan.

Marie continua : «M. Maratka voudrait voir ses vieux tableaux que j'ai en ma possession.» Et elle précisa : «Maintenant.

— Ah, maintenant !» s'étonna Christian, mais le léger coup de coude que lui donna Marie le fit sourire. «Nous sommes partis, alors !» dit-il. Il avait le sentiment que la journée avait pour thème le retour aux sources.

Marie sourit à l'entendre dire la phrase qu'elle venait de prononcer. Ils marchèrent avec Milan silencieux et grave à leur côté. Il lui chuchota à l'oreille : «Ton fiancé ?

— Parfaitement, répondit-elle dans son oreille.

— Tu me fais une demande ?

— Pas la peine de demander. En fait, tu n'as pas le choix.» Elle glissa entre deux battements de cils : «J'ai la solution de ton équation, si tu la veux, il faudra que tu m'épouses.»

---

465. Approbation (n.f.) : *Accord, fait d'approuver.*

Le Final

Quand Moussa le chat ouvrit à Rima la porte de l'appartement, elle était loin d'imaginer qu'elle trouverait dans le salon, accroché au-dessus de la fameuse corbeille, les tableaux que peignait Milan à l'époque où ils vivaient ensemble à Montmartre. Elle était aussi loin d'imaginer, alors qu'elle était prise dans un tourbillon de sentiments indescriptibles[466], dans ce domaine de l'âme où la raison se trouve bannie[467], que quelques minutes plus tard, ses deux amours qu'elle croyait perdus à jamais, allaient franchir ensemble le pas de la porte.

Peut-on encore vivre avec des certitudes?

Le hasard, maître des dés, l'enfant gâté[468] de la volonté divine, sourit, fier de son œuvre, et bâilla sur son nuage. À qui le tour? murmura-t-il. Il tendit la main vers un jeu de cartes où figurent toutes les créatures de Dieu, et tira au sort un village dans une contrée lointaine. Mais ça, c'est une autre histoire.

---

466. Indescriptible (adj.): *Impossible à décrire.*
467. Bannie (adj.): *Exclu, rejeté.*
468. Gâté (adj.): *Qui reçoit beaucoup de cadeaux, qui obtient tout ce qu'il désire.*

Crédits

Principe de couverture : David Amiel et Vivan Mai
Direction artistique : Vivan Mai
Crédits iconographiques de la couverture : David Sanger/The Image Bank/Gettyimages

Mise en pages : IGS-CP

Enregistrement, montage et mixage : Studio EURODVD

Texte lu par : Nanette Corey

ISBN 978-2-278-07663-5 – ISSN 2270-4388
Dépôt légal : 7663/08
Achevé d'imprimer en avril 2021 en France sur les presses numériques de Dupli-Print (Domont).
N° d'impression : 2021033160